Jack Smith

Viviendo
sin
Límites

Di «¡Sí!» al «¿Qué?»
y abre paso a una vida llena de infinitas posibilidades

Viviendo sin límites

por Jack Smith

Ilustraciones por Mike Schuler

Derechos reservados 2015
Editorial RENUEVO

ISBN 978-1-942991-13-7

Derechos de producción adquiridos de *Possibility Press*

Una producción de
Editorial RENUEVO

Dedicación

A mi amada esposa Vickey, quien me introdujo a mi fe y a una vida llena de posibilidades sin límites.

Reconocimiento

Mi sueño de convertirme en autor ha sido una jornada llena de apoyo y de amor, que continua y desinteresadamente me ha dado mi familia y mis amigos. Por eso y por mucho más, yo les estaré por siempre agradecido. Mi esposa y mis dos hijas han compartido y me han apoyado en cada intento. Ellas me enseñaron que el éxito no se trata de posición; se trata de pasión.

Uno de mis mejores amigos, Mike Schuler, gentilmente tomó el tiempo para crear las ilustraciones para este libro. Él es tan genuino en la vida real, como lo es en espíritu, como ninguna otra persona que yo haya conocido. Su honestidad, afecto, compasión e interés, brillan para que todos las puedan ver. Él me ha enseñado que la respuesta a «¿Cómo?» es siempre «¡Sí!». Con amigos como él, ¿cómo no me voy a sentir animado a alcanzar las estrellas? Él es más que un amigo; él es el hermano en Cristo que me motivó a ver la diferencia entre indecisos y compradores. Existen esos que viven su vida andando de puntillas en torno a lo que realmente quieren, pero existen esos que están dispuestos a pagar el precio para el viaje de su vida.

Gracias al personal de Possibility Press, quienes trabajaron fuerte para hacer de este libro lo que es. Por eso, y por la amistad que desarrollamos, yo estoy profundamente agradecido.

Y por último, pero ciertamente no menos importante, gracias Dios, sin Usted, nada de esto hubiera sido posible.

Viviendo sin límites

Contenido

«*Dentro de veinte años vas a estar más decepcionado de las cosas que no hiciste que de las cosas que hiciste. Así que tira la bolina. Navega lejos del puerto seguro. Atrapa los vientos alisios en la velas. Explora. Sueña. Descubre*».

Mark Twain

Prólogo

¡Haz el bien, diviértete, y gana dinero!

¿Estás listo para romper los límites que has aceptado en el pasado, para alcanzar la cima de lo que sea que tengas pasión de escalar?

¡Guau! Qué honor y gran placer poder escribir el prólogo de *Viviendo Sin Límites* Este libro es especialmente relevante para mí, ya que recientemente hice un gran salto de los límites de la vida corporativa para dedicarme a algo por mi propia cuenta. ¡Esto es grandioso y me encanta!

Bueno, no me malinterpreten, yo tuve una experiencia excelente de mucho años con MCI y pude subir la escalera del éxito a ser Vice-Presidente de Relaciones Internacionales/Europa. Pero la escalera no se estaba inclinando contra la pared de mi pasión—discurso y escritura. Se estaba inclinando en contra de la pared.

Jack, un hombre de grandes logros, aunque él es demasiado humilde para admitirlo, ha tenido mucha gente que le a puesto límites, los cuales ha tenido que vencer. Así que él tiene una historia muy interesante que contar. Con este libro, él te puede ayudar a conseguir un nuevo perspectiva para liberarte de cualquier límite que te hayas puesto tú mismo o te hayan impuesto, o que quizá hayas aceptado y que te esté deteniendo. Las escrituras de Jack te hacen sentir como si estuvieras sentado en una sala siendo monitoreado por un hombre con mucha experiencia y sentido del humor que te va a hacer reír, e incluso hacerte reír a carcajadas. No muchas personas pueden darle un giro a la historia para conseguir expresar algo para lograr un cambio de vida como lo hace Jack.

Uno de mis lemas es, «¡Haz el bien, diviértete, y gana dinero!» Cuando continúas haciendo el bien a otros en tu negocio o carrera, y te diviertes haciéndolo, el dinero va a llegar. Hasta ahora yo he vivido una buena vida, y he tenido una buen experiencia corporativa, pero me tomó 28 años para seguir el consejo de Jack a vivir una vida con poder sin límites. A mí me gustaría haber tomado su consejo años atrás.

¿Eres tú una de esas personas que tiene frente a ti una gran oportunidad y hace exactamente eso? Estás listo para romper con los límites que has aceptado en el pasado, para alcanzar la cima de lo que sea que tengas pasión de alcanzar? Espero que así sea. Es la única manera que vas a descubrir de lo que realmente estás hecho y la única manera que puedes crear una vida grandiosa por ti mismo.

Lee este libro extraordinario, vive sin límites, y haz que las cosas sucedan—¡para ti!

Bendiciones para ti,

Tony Sciré
Autor de *The Power of 2*

Bienvenida

¿Está tu pie en el freno o en el acelerador?

De ti depende reclamar tu posición y defender tu sueño.

Por años, yo dejé que manuscritos se quedaran en la oficina o que se quedaran atrapados en la computadora. Yo nunca fui tras mi sueño porque dejé que el temor me mantuviera enfangado en neutro. El sueño del motor de revoluciones altas estaba funcionando correctamente, pero mis pensamientos de rechazo y fracaso hicieron que me pusiera un límite que no me permitía ponerlo en drive y empujar el acelerador. Mi esposa maravillosa, Vickey, me dijo por años que me animara a hacerlo, pero mi pie estaba firmemente puesto en el freno.

Si yo fuera un pájaro, hubiera estado contento columpiándome en el palo de mi jaula. Aunque la puerta de la oportunidad estaba abierta de par en par, yo simplemente me hubiera sentado ahí y me hubiera columpiado de atrás para adelante en mi «rutina-de-aire» — sin hacer nada.

Te animo a que te deshagas de cualquier limitación que te estén imponiendo, y cualquiera que tú mismo te estés imponiendo, tal vez sin querer te estás agarrando del pasado. Te animo a que te deshagas de todas las ataduras en las que quizás estés, y que te dirijas a la cima de la montaña de la vida. La base para hacerlo es una ética fuerte de trabajo, y el incentivo es una meta que vale la pena, o es lo suficientemente emocionante para seguir adelante. ¿Y qué pasa con esos que dicen que no puedes hacerlo?

A lo largo de los años he usado los principios, pensamientos e ideas que contiene este libro y los he compartido con muchas personas. A mí me gustaría decir que todos siguieron mi consejo. Y ellos, también, hubieran podido descubrir lo gratificante y emocionante que puede ser poner tu mirada en algo especial—y luego ir tras eso.

Los límites que las personas se ponen ellas mismas o aceptan de otras personas forman la dimensión de su realidad. ¿Pasarías toda tu vida hablando de lo que hubieras, tendrías, o deberías haber hecho ayer o harías mañana—o aprovecharías la oportunidad y el poder del momento? ¿Te has preguntado que ha pasado con las 24 horas que tienes disponibles todos los días? Yo solía hacerlo, pero ya no lo hago.

Hubieron dos cosas que me ayudaron y me dieron las patadidas para que me pusiera en acción. 1) un amigo mío llamado Mike, que creía en mí, y 2) darme cuenta que el único permiso que necesitaba para seguir adelante era el mío.

Espero que este libro te inspire a nunca permitirte a ti

mismo o a ninguna otra persona ponerte límites. Muchos tratarán de ponerte bloqueos en la carretera, pero tú vas a seguir avanzando. Ellos fracasarán a la hora de tratar de detenerte porque tú te has convertido en una persona sin limitaciones. Lo ideal sería que ellos cambien su actitud y se unan a ti. Si yo hubiera escuchado a los críticos que nunca han escrito nada para publicar, tú no estarías leyendo este libro.

Sigue soñando y alcanza la clase de vida que has soñado. ¿Quién es más admirado, la persona que logra sus sueños o la que se conforma y acepta límites y se niega a ponerse en acción?

Para tu vida sin límites,

Jack Smith

«*Argumenta por tus limitaciones, y por seguro, éstas son tuyas*».

Richard Bach

Es triste que algunas personas nunca van más allá de los límites que alguna persona cruel, a quien ellos le permitieron, les puso—quizás un padre, un profesor, un compañero, o alguien más. Afortunadamente, otros buscan obtener la ayuda que necesitan de familiares positivos, mentores o líderes que los apoyan.

Capítulo 1

¿Qué haces cuando «ellos» te dicen que tú no puedes?

¡Siempre mantente en el camino!

Como dijo una persona sabia, «La preocupación es una silla mecedora; te da algo que hacer, pero no llegas muy lejos». Otros pueden ponernos límites solamente si nosotros les damos permiso para que lo hagan. ¿Le has permitido alguna vez a alguien fijar los tuyos? Si es así, lo que estás a punto de leer te animará a desintonizarlos. Antes que te des cuenta, vas a estar rompiendo los lazos de tus límites y brillando con todo el potencial dentro de ti.

Después de haber cumplido con su deber en la Infantería de Marina de Estados Unidos, un muchacho joven conoció a la mujer de sus sueños. Después de cuatro meses de noviazgo, las pareja hizo sus votos matrimoniales en la casa de un predicador, con solamente cinco personas presentes, incluyendo la novia y el novio. Diez meses después ellos fueron bendecidos con su primer hijo. Como eran una pareja llena fe, ellos se pusieron de acuerdo para entrar en el ministerio. Esto significaba que tenían que trabajar muy fuerte y hacer estudios intensivos en una de las mejores universidades. ¿Podría él hacerlo? Sus amigos y su familia dijeron no; su esposa sonrió y dijo sí.

El se había graduado cuadragésimo séptimo en una clase de secundaria de cincuenta y tres alumnos, y él nunca se había aplicado a sí mismo para ninguna cosa más que para deportes. Muchos habían perdido la esperanza con él, y ciertamente, no sin tener razón. Él había pasado tres años estudiando para conseguir los requisitos del último año de estudios, y tenía cuatro órdenes de arresto cuando ingresó a la Infantería Marina. Pero él tenía además deseo constante en su interior que lo impulsaba.

El hijo mayor de la familia, él sinceramente deseaba ser mejor esposo y mejor padre que su padre. Su padre, no solamente había tratado de ponerle límites a él, sino que lo hizo de una manera muy cruel, lanzando comentarios tales como, «tú nunca vas a conseguir nada»; «tú simplemente eres estúpido»; «tú nunca vas a tener nada».

Es triste que algunas personas nunca pasan de los límites que permitieron que una persona cruel les pusiera— quizás un padre, un maestro, un compañero, o alguien más. Afortunadamente, otros buscan y obtienen la ayuda que necesitan de amigos, mentores y líderes positivos que los apoyan.

El reto de tener éxito

Este fue un gran día. Él estaba ahí sentado frente a un gran escritorio, vistiendo su nuevo atuendo y con nuevo corte de cabello, esperando que el profesor entrara y le diera la bienvenida a la universidad. Por lo menos, él asumió que de eso se iba a tratar la reunión. Al entrar a la habitación, vistiendo un traje azul-marino, el guapo profesor parecía lo suficientemente amigable. Su expresión era bastante seria y usaba sus gafas tan bajo que casi llegaban a su nariz, que le daban un apariencia distintamente intelectual.

«Joven», comenzó diciendo el profesor, «yo he estado revisando tu expediente académico», «sí, señor», respondió el joven marinero. «Bueno, para no andar con rodeos, yo no estoy seguro de que seas un buen candidato para entrar a la universidad», confesó el profesor. «¿Por qué dice eso?» preguntó el joven, mirando perplejo. «Bueno», continuó el profesor, «con tus bajas calificaciones, yo no quiero hacerte perder tu tiempo, ni quiero perder el de nosotros».

El muchacho joven comenzó a sentirse mal y tonto. ¡Aquí estaba alguien más, además de su padre, tratando de ponerle límites! El futuro estudiante visualizó un ojo de toro en el medio de la cabeza del profesor. ¡Madre, si alguna vez había querido decir exactamente lo que estaba pensando, era en estos momentos! No obstante, él siguió mostrando respeto hacia el caballero que obviamente era el encargado.

¿Tú crees que lo puedes hacer?

«Señor, me está usted pidiendo que tome a mi esposa y mi hijo y me vaya para mi casa? Preguntó el hombre más joven. «No», contestó el hombre mayor, «lo que yo te estoy diciendo es que estamos renuentes a aceptarte en la universidad, aun sabiendo que quizá sea posible que puedas ser aceptado».

Devastado, el hombre joven se fue para su casa y lloró por horas mientras su esposa hacía todo lo posible para consolarlo. Posteriormente, después de que se había calmado, ella lo vio y le dijo algo que lo incentivó a dar lo mejor de si: «Cariño, yo tuve una maestra que siempre terminaba todas sus clases con algo que dijo Henry Ford y que nunca se me va a olvidar: "Si tú crees que puedes, estás en lo correcto; y si crees que no puedes, estás en lo correcto"». ¡Él tomó eso como un reto para creer que podía!

Se trata de ética de trabajo y no aceptar ninguna limitación

Al final del primer semestre del estudiante nuevo, el profesor, una vez más, lo mandó a llamar a su oficina, «Sí, señor, me mandó a llamar?» preguntó el muchacho joven. Sonriendo, el profesor le dijo: «¡Tú eres nuestra sorpresa más agradable! Tú tienes dos 90s y dos 100s con un promedio de calificaciones de 3.5. Tú realmente trabajaste muy fuerte y demostraste que tienes lo que se necesita para tener éxito.» Con lágrimas en sus ojos, el alumno respondió: «Gracias señor. Viniendo de usted, significa para mí, mucho más de lo que usted se imagina.»

«Joven», continuó diciendo el profesor, «hay dos cosas que quiero decirte: Primero que nada, tú aprendiste una lección muy importante—que la ética de trabajo es esencial para tener éxito. Eso no significa que tengas un conjunto de éticas para el hogar, otro para los amigos y otro para el trabajo. Significa que cuando vives tu vida con la mejor ética, no hay necesidad de hacer una diferencia—éstas impregnan cada aspecto de tu vida. La consistencia de hacer siempre lo mejor que puedes para hacer lo que es correcto te va a elevar más allá de los estándares del mundo.»

El estudiante sonrió, dio un apretón de manos a la mano extendida del profesor, y confiadamente dijo, «Muchas gracias por dejarme ser parte de esta universidad».

«Esto me trae a la segunda cosa de la que quiero hablarte», respondió el profesor ajustándose sus anteojos. «Recuerdas nuestra primera reunión, cuando yo te dije que te estábamos dejando ingresar, pero que probablemente no lo lograrías?», «Sí», contestó el estudiante con un suspiro. «Pues bien», prosiguió el hombre mayor, «la única razón por la que te dije eso, fue para empujarte a que hicieras el trabajo o que renunciaras y te fueras a tu casa. Gracias por trabajar tan fuerte para alcanzar tu sueño.»

El joven muchacho se graduó y ha estado predicando tiempo completo por mucho años. ¡Tal vez hayas adivinado, ese muchacho joven fui yo!

Ella decidió qué podía hacer—¡nadie más!

Uno de mis atletas favoritos de todos los tiempos es Mary Lou Retton. Este pequeño paquete de dinamita competitiva luchó contra la adversidad y se convirtió en campeona olímpica. Nada le iba a impedir que ella diera lo mejor para lograr su sueño. Gracias a su determinación, ella fue nombrada «Deportista del Año» en la revista *Sports Illustrated* en 1984.

El éxito para Mary Lou, al igual que para muchos que

desean lograrlo, no llegó fácilmente. Solamente seis semanas antes de que comenzaran los Juegos Olímpicos, los doctores le dijeron que ella no iba a poder competir. Ella necesitaba una cirugía de rodilla inmediatamente. Parecía que todos sus estudios en danza y aeróbicos desde la edad de cuatro años, y gimnasia desde la edad de cinco, no habían servido de nada.

Mary Lou prosiguió, le hicieron la cirugía y tuvo la rehabilitación necesaria a tiempo para competir. A la edad de dieciséis, y saliendo de una cirugía de rodilla, las probabilidades de realizar un gran salto, mucho menos un salto perfecto, eran casi nulas. Ekaterina Szabo iba por delante de ella por .05 de punto.

Usando su velocidad y poder, Mary Lou explotó en la pista y logró su intento con una calificación perfecta en el caballete. Ella no solamente se convirtió en la primera mujer en ganar una medalla olímpica en la competencia individual, sino que además llevó al equipo estadounidense a ganar la medalla de plata.

Más adelante ella ganó tres medallas más en la competencia individual. Mary Lou se negó a decir no a sus sueños—para dejar que los demás decidieran lo que ella tenía que hacer. Cuando los doctores le dijeron que no podía, Mary Lou dijo, «Ya he llegado hasta aquí. Nadie me va a impedir a seguir tratando.»

Ella sabía que la respuesta a ¿«Cómo?» es «¡Sí!». Una década completa después de sus victorias, una encuesta nacional de Associated Press nombró a Mary Lou «Atleta más Popular de América». Nada mal para alguien que se atrevió a soñar en grande y no pudo aceptar un no como respuesta.

Siempre habrán aquellos que quieren fijar nuestros límites—ellos piensan que nos conocen mejor de lo que nos conocemos a nosotros mismos. Es lo mismo en los negocios, la religión, comunidad, vida familiar, y en todo lo demás. Por qué querríamos aceptar los límites que otros quieren imponer sobre nosotros—especialmente aquellos que dejan de soñar y no quieren alcanzar más allá de donde ellos están?

Todos fuimos creados para llegar a ser lo mejor que podamos. Lo que logramos es el resultado de las decisiones que tomamos y lo que hacemos. Anuncia valientemente: «Yo nunca voy a dar permiso a nadie para que ponga límites en cuanto a lo que yo puedo lograr».

Las tres reglas del éxito

Recuerda las siguientes tres reglas de éxito, independientemente de los límites que hayas aceptado de ti mismo en el pasado, o los límites que otros hayan tratado de imponer sobre ti. ¿Estás listo para éstas? Aquí las tienes:

> **Regla 1:** ¡Permanece en el camino!
> **Regla 2:** ¡Permanece en el camino!
> **Regla 3:** ¡Permanece en el camino!

Si te desvías, te habrás puesto límites a ti mismo y a tu potencial para lograr lo que deseas.

¿Se ha convertido tu zona de comodidad en tu límite? ¿Por qué crees que has elegido nunca ir más allá de donde estás ahora? ¿Qué tanto tiempo vas a observar a otros cumplir sus sueños mientras tú no cumples el tuyo?

Capítulo 2

Yendo más allá de los límites de tu «Zona de Confort»

Si tú no vas tras lo que quieres, nunca lo vas a tener. Si no das un paso hacia delante, siempre vas a estar en el mismo lugar.

Muchas personas nunca comienzan a construir un futuro porque al hacerlo significa que tienen que salir de los límites de lo que llamamos, zona de confort.

Todos tenemos esa zona, o quizás varias de ellas. Esas zonas son lugares donde permanecemos o regresamos, mental o físicamente, en un intento casi inútil de evitar cambios o retos. Estas zonas quizás no sean tan cómodos, simplemente son lugares que ya conocemos bien.

La puerta de la oportunidad quizás esté abierta de par en par, pero, al igual que pájaros en una jaula, nosotros permanecemos en nuestro palo comiendo la misma comida y bebiendo la misma bebida, familiarizados con los mismos compañeros de jaula, cantando la misma tonada. La libertad de lograr una mejor vida fuera de la jaula está ahí afuera, pero nosotros nos quedamos ahí sentados, como de costumbre.

Estamos columpiándonos y llegamos cerca de los límites

que nos impone la jaula, nuestro estómago está lleno, pero seguimos en la jaula.

Atrapados en una jaula

Mientras la pareja conducía hacia la bomba de gasolina, ellos simplemente no podían creer lo que estaban viendo—una jaula 12x12 pies, asquerosa por dentro, con latas, botellas, y envolturas de dulces esparcidos por todos lados. La cubeta de agua sucia de color café, obviamente había estado ahí por largo tiempo. El oso negro que estaba en el interior con llave parecía miserable mientras iba de un lado al otro—aburrido dentro de los confines de su prisión.

Después de haber visto lo que podían tolerar, la pareja entró a la pequeña tienda destartalada. Ellos querían hablar con el dueño de la gasolinera en ruinas para ver si él estaba interesado en vender el oso. Mientras conversaban miraron hacia fuera y se dieron cuenta que unos niños estaban empujando al oso con un palo, tratando de enojarlo lo suficiente para hacerlo gruñir.

La pareja estuvo de acuerdo en comprar el oso al precio que pidieron, y planearon regresar en pocos días para llevárselo a su nuevo hogar.

Cambiando de neutro—poniéndolo en marcha

Al regresar a la estación de gasolina, el hombre y su esposa pusieron cuidadosamente la jaula con el oso dócil en su camioneta. Ellos habían decidido llevar el oso a la propiedad de un amigo, quien no solamente tenía osos, sino que también tenía otra variedad de animales. La pareja tenía la confianza que su nuevo amigo peludo iba a ser bien cuidado.

Al llegar al destino, ellos bajaron cuidadosamente la jaula y la metieron en un recinto donde el oso viviría el resto de su vida. El recinto era mucho más grande, y ciertamente más limpio que su antigua casa. La bandeja del agua estaba llena de agua limpia, clara y fresca. En una de las esquinas había más comida de la que el oso miraba en una semana con su anterior dueño.

Lo atractivo del traslado de la suciedad a lo limpio sería obvio, incluso para el oso, ¿No te parece? ¡Incorrecto! La puerta de la jaula estaba abierta y no sucedía nada. ¡El oso no se movió ni una pulgada! Tuvo que ser animado con tonos de voz suaves, y eventualmente fue empujado a salir de la jaula. Después de que el compañero de gran tamaño finalmente se aventuró a salir, él solamente se movía dentro de un área de doce pies cuadrados.

Asombrados, los nuevos dueños estaban desanimados y sintieron un malestar estomacal. Los límites internos del oso habían sido firmemente establecidos. Su mente había estado en neutro por tanto tiempo y cualquier potencial haya tenido de vagar libremente se le había olvidado hacía mucho tiempo. Él había sido «derretido» en el molde de alguien más, y había aprendido a sobrevivir en esas limitaciones. Pero siendo tan infeliz como era, él nunca expresó su protesta ni siquiera trató de soltarse.

No seas de los que se quedan sentados—arriésgate.

¿Cómo nos armamos de valor para salir de nuestra zona de comodidad? El valor para estirarnos y hacer algo nuevo—lograr un sueño o una meta que es importante para nosotros—eso comienza con creer en nosotros mismos.

En algunos casos, esta idea nace y se alimenta con una red de amigos serviciales y comprensivos que creen en nosotros y en nuestras capacidades para conseguir lo que deseamos.

Si esta es tu situación, atesora esos amigos y bebe el apoyo como vagabundo sediento que cruza un desierto y encuentra un pozo al otro lado. Los pensamientos de que podemos hacer que suceda le da poder a nuestro deseo para hacerlo realidad. Lo opuesto a esto es también verdad—de cualquier manera, el deseo le pone combustible a nuestra creencia. Si es lo suficientemente fuerte, nuestro deseo nos conduce a dar los pasos necesarios y nunca rendirnos en nuestra búsqueda.

¿Por qué no hay más gente exitosa? Ellos se deslizan en sus hábitos y se derriten en un molde (como lo hizo el oso) de su actual trabajo, reforzando las características que se requieren para soportarlo. Usualmente, eso que dicen que quieren lograr, son simplemente palabras. Tú fácilmente puedes hablar de hacer algo fuera de tu trabajo, o hablar de que crees en ti e ir más allá de cualquier límite que hayas aceptado en el pasado. Pero, como dicen por ahí, «hablar es fácil». Tú realmente no has logrado nada hasta que sueltes el tronco de los viejos hábitos. Deja de ser de los que se sientan en las ramas, arriésgate a «meter la pata». Arriésgate para lograr libertad y éxito, o cualquiera que sea tu meta. Ah, ahí está el primer obstáculo a vencer para lograr cualquier nuevo intento. ¿Dijiste rama? Sí, salir de zona de comodidad es viajar a un nuevo territorio. ¡Eso es emocionante!

Ve en tres dimensiones: SOÑAR, HABLAR y ENTREGAR

«¡Madre mía!», dicen algunos, «¡eso suena bien!» Hay tres palabras que podemos de tomar del subtítulo: Soñar-Hablar-Entregar, las cuales, cuando se asocian, crean éxito. Cuando nos atrevemos, tenemos que soñar, hablar y entregar. Primero, vamos a hablar del soñar.

Soñar, la primera palabra soñar, es fácil. Todos tenemos sueños—incluso si los ignoramos por largo tiempo casi los olvidamos. Todos, en un momento u otro nos hemos imaginado alguna vez como las más bella o el más guapo, el mejor atleta, la estrella de rock o cine más famosa, un millonario, o algo más.

Así que, toma un pedazo de papel y escribe tus sueños y todos sus componentes—entre más larga sea tu lista, mejor. Sé una persona de múltiples sueños. No seas de las personas que se apiada de solo un sueño, especialmente esos que todavía no has logrado. Anímate y ayuda a hacerlos realidad.

Muchas personas tienen ambición de moverse de donde están a la posición donde quieren estar y ahí se paran—

nunca marchan hacia la vanguardia ni hacen lo que se necesita para ir del punto A al punto Z. Cualquiera que sea tu sueño más grande, comienza a hacerlo realidad dando prioridad a tu vida y haciendo el trabajo que se requiere para alcanzarlo. Es triste decirlo, pero para muchos, es la indisposición de hacer eso lo que hace que no vayan más allá de sus límites. Sé una de esas almas atrevidas que aceptan el riesgo y vencen los obstáculos. Esforzarte por tus sueños hace que la vida sea una gran aventura.

Hablar, la segunda palabra es hablar, y es esencial. Habla de tus sueños con una persona que te apoya y que es exitosa, o con alguien que se pueda conectar contigo como persona. Esto es esencial. Rodéate de esos que creen en tu sueño. Siempre habrán personas negativas que no miran el lado positivo a tus sueños—esos que te ponen a ti y a tu sueño abajo. Ellos te dicen que no es posible, y si es posible, no sería por ti.

¿Alguna vez has ido con un ateo para que te dé consejos espirituales, o a un abogado para que te dé consejos médicos? ¿Por qué alguien tan siquiera podría pensar en ir a pedir consejo a alguien que tiene miedo y se limita a sí mismo? Siempre recuerda que la gente que está a nuestro alrededor va a hacer una de las siguientes cosas: Condenarnos, ignorarnos, complacernos o inspirarnos. Elige asociarte con esos que te inspiran para poder ir más allá de tus límites.

Entregar, es lo tercero y más importante. Comunica lo que has soñado y habla de ello. Toda charla y optimismo en el mundo no hará que las cosas sucedan si no damos los pasos necesarios para salir de donde estamos y llegar a donde queremos estar. Este es el momento en que el miedo al fracaso quizás susurre en tu oído y de diga que tus sueños son una tontería. Te grita que vas a hacer maltratado o golpeado por todas las trampas que vienen cuando uno quiere lograr un sueño.

No es el tamaño del reto que nos encontramos en el camino hacia nuestros sueños lo que importa. Es nuestra actitud de que vamos a vencer cualquier cosa que se nos cruce en el camino—puesta en acción—lo que nos hace ganar. Enfrentar obstáculos no es lo que constituye el fracaso. Lo triste es nunca llegar a vencer esos obstáculos.

Yendo más allá de ti mismo

¿Tu zona de confort se ha convertido en tu límite? ¿Por qué has escogido nunca ir más allá de donde estás ahora? ¿Por cuánto tiempo vas a ver que otros cumplen sus sueños, mientras que tú te quedas ahí sin cumplir los tuyos?

Todos somos capaces de tener más éxito. Cree en ti mismo y en tus sueños, y relaciónate con aquellos que te animan en lugar de relacionarte con aquellos que te desaniman. Ábrete paso y ve más allá de tus límites.

Muchas personas tienen el deseo, pero nunca llega «ese día» cuando salen de donde están y van al campo de posibilidades. Ellos pierden automáticamente el lugar de aprovechar la oportunidad para ganar.

Capítulo 3

¿Cómo puedes empezar?

¡Es hora de lanzarte por lo que quieres!

Mi sueño desde que estaba en la universidad, además de predicar, era escribir. Así que le pedí la tan necesitaba tutoría de cómo empezar a una persona que era exitosa haciendo ambas cosas.

Él se recostó en su asiento de cuero con relleno, sonrió, y dijo, «¿A qué te dedicabas antes de convertirte en predicador?»

«Bueno, señor», le dije, «yo trabajaba en una fábrica en un pequeño pueblo de Arkansas».

«¿Cómo comenzaste ahí?» preguntó él.

Sin entender la pregunta, le dije, «No entiendo lo que está preguntando».

Él contestó, «Jack, lo que quiero decir es que cómo comenzaste en ese trabajo».

Esa cosa de «Un-Día»

¿Estaba este hombre amable haciendo alguna pregunta

con trampa?

«Bueno, un día yo fui...»

«Disculpa», interrumpió él inmediatamente, «¿Qué es lo que acabas de decir?»

«Yo dije que un día...».

Él me interrumpió de nuevo, «Y yo también»

«¿Usted también qué?». Yo pregunté.

«Pues tú sabes, esa cosa de un día». Él sonrió. «Yo lo hice también».

Entonces, finalmente me di cuenta. Lo que él estaba diciendo es que en todo lo que perseguimos, incluyendo nuestros sueños y metas, nosotros siempre empezamos de la misma manera - «un día».

Nadie empieza un día después. Este es el día cuando todas las conversaciones y preparaciones finalmente se terminan y tú comienzas a hacerlo. Esto quizás suene ridículo, pero honestamente es la verdad. Mucha gente tiene el «quiero-hacer», pero nunca se llega ese día cuando se paran y salen de donde están, y entran al campo de las posibilidades. Ellos automáticamente pierden, en lugar de aprovechar la oportunidad de ganar. Examina el siguiente ejemplo...

Más talentoso de lo que pensábamos

Este muchacho siempre había sido retraído y tímido. De hecho, realmente nunca lo vimos en la escuela, a menos que se le llamara por su nombre en el salón de clases. Él es de esa clase de persona que pareciera estar en todos los grados; ese de quien todos rehúyen y se burlan debido a alguna supuesta anormalidad. Él no encajaba y él lo sabía; él incluso, parecía aceptarlo como parte de su destino.

Ser pobre y tener uno de los peores casos de acné no ayudaba su autoestima. Todo lo que cualquiera de nosotros sabía de este chico era que él se iba en el bus ida y vuelta; y que se iba directo a casa después de clases. A él nunca se le veía en ninguna de las funciones de la escuela. Este chico nunca atendía ningún evento deportivo, ni salía a favor de ningún equipo. Ni siquiera se le veía en la plaza los sábados o en eventos especiales de la ciudad. Ninguno de nosotros lo recuerda haberlo visto en el teatro del centro de la ciudad o en Dog and Sud's Drive-In, donde prácticamente todos iban en algún momento.

Luego llegó «ese día» en la vida de ese chico. Llegó el momento del show anual de talentos. Diversos actos estaban programados, incluyendo el mío; yo toqué guitarra en una banda. Todas las conversaciones antes de la competencia, sin embargo, eran sobre un estudiante solitario. Increíblemente, él se había inscrito para participar—lo que haya sido su talento! Solamente los nombres fueron mencionados—no los talentos respectivos. La gente simplemente se reía al mencionar cualquier cosa que este joven, tranquilo y poco popular podría hacer. Cuando se anunció su nombre, la audiencia quedó en completo silencio...

El show de talentos se estaba llevando estaba tomando lugar en el teatro del centro de la ciudad y se consideraba un evento grande. Después de todo, el ganador se estaría llevando a casa un trofeo y dinero en efectivo. Pero la idea de que este muchacho tímido estuviera participando era tan inconcebible que yo personalmente pensé había sido un error—aunque habían llamado su nombre, tenía que ser un error de imprenta.

Seguramente una persona diferente iba a salir al escenario a ser su presentación. ¡Pero no, era realmente el chico tímido el que se apareció! Él caminó lentamente en el escenario con su cabeza hacia abajo, obviamente temiendo el contacto visual.

¿Qué iba ha hacer él? ¿Sentarse y tocar el piano? Sí, para ahí era exactamente donde se dirigía. Yo me reí por dentro y pensé, «Me pregunto cuántos versos de la canción de cuna «Mary Had a Little Lamb» sabía. Una vez sentado, él jaló el micrófono y sonrió. Mirando hacia la audiencia, él dijo, «Si Jerry Lee estuviera aquí esta noche, así cantaría».

Ahora bien amigos, déjenme decirles, él casi se acabó el piano. Fue la transformación más impresionante que ninguno de nosotros haya visto. Lo que nosotros no sabíamos es que su mama enseñaba piano, y su estudiante más preciado era el que estaba ahora dejando boquiabierta a todo el cuerpo estudiantil.

Él era tan bueno como ningún otro que yo haya visto—antes o después de ese evento. Él no solamente ganó el concurso, sino además tuvo varias ovaciones y solicitudes. Él tocó cada una de las canciones con facilidad y belleza. Todos lo mirábamos y pensamos, «¡No, no puede ser!» ¡No podíamos creerlo! Él nos demostró que se había estado preparando diligentemente para este su día.

Una joven pequeña con un sueño

Nacida el 14 de noviembre de 1954 en Birmingham, Alabama, Condoleeza Rice sería nombrada, 51 años después, «la mujer más poderosa del mundo». Por la revista Forbes. Cuando su padre le dijo que ella podía convertirse en presidente de Estados Unidos, los afroamericanos ni siquiera tenían derecho a votar. Con un nombre derivado del término musical italiano «entrañables misericordias», Condoleeza es prueba viviente que el deseo de lograr algo, romper límites, y trabajar duro son los requisitos para el éxito.

Ella ya tocaba el piano a la edad de tres, y se convirtió en excelente lectora a la edad de cinco. En un artículo acerca de su vida, el autor dijo que Condoleeza se levantaba a las 4:30am para hacer ejercicio y luego tocar música. Ella no dejó que nada, incluyendo las barreras raciales, se interpongan en su camino.

Ella entró a la Universidad de Denver a la edad de 15 años, y se graduó a los 19 con una licenciatura en ciencias políticas. En 1975 ella recibió una maestría de la universidad de Notre Dame, y en 1981, un doctorado de la Universidad de Denver.

Hablando ruso con fluidez, Condoleeza defendió su tesis sobre las relaciones entre Rusia y Checoslovaquia, y más tarde escribió un libro sobre eso. Ella habla cinco idiomas y posee doctorados con honores de Moorehouse College, Universidad de Alabama, Notre Dame, National Defense University, Mississippi College of Law, Universidad de Louisville y de la Universidad de Michigan.

En 1999, ella completó seis años como rector de la Universidad de Stanford. Como directora de presupuesto y académicos, la Dra. Rice fue una de las responsables por un presupuesto anual de 1.5 mil millones de dólares. Este programa involucraba 1,400 miembros de facultad y 14,000 estudiantes. Además de eso, ella era miembro de la Junta Corporativa Chevron, de la Fundación Hewlett y de Charles Schwab.

Tú puedes ver que esta mujer maravillosa nunca si le hubiera podido convencer de algún límite. Ahora ella viaja por el mundo como Madame Secretary. Dr. Condoleeza Rice, ex secretaria de Estado, erudita y mujer de visión y dedicación, fue, en un tiempo, solamente una niña con un sueño.

El valor para enfrentar a los críticos

Así que, ¿cómo empezar? Primero, tú tomas la decisión de hacerlo. Luego te armas de valor, incluso frente a los críticos más severos, y te atreves realizar tu mejor presentación a pesar de cualquier temor que puedas tener.

Incluso si otros están haciendo juicios de tu y de lo que tú estás haciendo o proponiendo hacer, tú sabes en lo profundo de tu corazón que tú tienes que aguantar y lo que necesitas para hacer que suceda. Es poner todo eso junto con tu fuerte deseo de hacer tu mejor presentación lo que hace que empieces.

Finalmente, va a llegar ese día cuando ya no hay vuelta atrás. Es hora de ir por lo que quieres. Como si te hubieras inscrito para ese día especial. Te llaman por tu nombre y caminas por la plataforma de la vida y pones todo de tu parte.

¿Y qué pasa con el resultado? Nunca lo vas a saber hasta que llegue ese día cuando ya no hay vuelta atrás. Independencia financiera, libertad personal, o cualquiera que sea tu sueño o deseo, solamente llega después de que ganas la guerra. ¿Qué guerra? La guerra con límites que te has puesto tú mismo, y aquellos que se han opuesto a tu idea. Recuerda, como dijo alguien sabio, «No hay estatuas levantadas para los críticos».

«*La duda ve los obstáculos,*
    La fe ve el camino.
La duda ve la obscuridad de la noche,
    La fe ve la luz del día.
La duda tiene pavor de dar un paso,
    Pero la fe se eleva a las alturas.
La duda pregunta, "¿Quién cree?",
    La fe contesta "Yo"».

Rich DeVos

Capítulo 4

La respuesta a «¿Cómo?» es «¡Sí¡»

Haz que las cosas sucedan para alimentar tu sueño o se morirá de hambre.

La historia de mi vida has estado llena de retos, desalientos, abuso y vergüenza. Mi madre era lo mejor; mi padre era lo peor.

A temprana edad yo escuché, y sin saberlo permití, que otros «clavaran una estaca en mi corazón», quitándome la capacidad de que le pusiera importancia o incluso el deseo de sobresalir. Me juzgaron según lo que habían visto en mi padre. Él era el borracho del pueblo y un adicto a los juegos de azar; lo que no se podía guardar en secreto en un pueblo de 3,500 habitantes, especialmente cuando en el condado, en aquel tiempo, se prohibía la venta del licor.

Yo vi a mi padre abusar a mi madre, incluso mucho tiempo después de se divorciaron cuando yo tenía doce años. A la edad de catorce, yo estaba básicamente viviendo por mi cuenta en Mountain Home, Arkansas. Yo me quedé con mi padre para terminar mi primera años de la secundaria y para jugar fútbol americano—no ha sido la mejor decisión que he hecho en esta vida. Él se mantenía fuera con sus amigos la mayoría del tiempo, dejándome solo para valerme por mi mismo o morir. Mi padre sí hizo una cosa por mi durante este tiempo, además de enseñarme qué no hacer. Él pagó dos meses adelantados de alquiler por un tráiler de diez-por-cuarenta pies que estaba ubicado en un camino de tierra oscura a cinco millas de distancia del pueblo. Durante este tiempo, yo simplemente tenía demasiada vergüenza para pedir ayuda.

Supervivencia—prioridad número uno en la vida

Yo iba me iba a la escuela en autobús por las mañanas y regresaba caminando en las tardes. Una vez en particular, yo no había comido por un par de días cuando de repente se me ocurrió que al otro lado del cerco, detrás del tráiler, había una «olla de oro»: manzanas verdes brillantes, todo lo que uno quisiera comer.

¿Y qué importaba si había uno o dos rótulos clavados en la cerca que decían: «Prohibido el paso»? Yo tenía hambre. El servicio de electricidad y el agua potable habían sido cortados la semana anterior y todo lo que yo tenía para tomar era agua del hielo derretido en las bandejas del congelador. Tenía sabor raro, pero era agradable porque saciaba la sed.

Yo lancé mi fornido cuerpo de 133 libras por encima del cerco, pasé el rótulo de «Prohibido el paso» y trepé el árbol. Todo ese fin de semana yo comí manzanas verdes y agua de mal sabor. Después de todo, yo podía sobrevivir. Fue aquí donde yo aprendí que la respuesta al «¿Cómo?» es «¡Sí!».

Yo nunca estaría a favor de infringir la ley, pero mientras estaba sentado en ese árbol, algo se me hizo muy claro. Todos esos compañeros de clase que me dijeron que yo no valía para nada, que era un pobre que nunca lograría nada en la vida, lo que realmente me estaban diciendo era que no me meta en sus vidas. A nadie le importaba más que a mí, cómo o incluso si es que, yo sobrevivía.

Con eso en la mente, conseguí un trabajo en el restaurante del lugar con un salario grandioso de cincuenta centavos la hora. Yo trabajaba cuatro noches a la semana. ¡Guau! Yo ganaba dos dólares la noche; ¡yo era un muchacho rico! Yo podía ordenar lo que yo quisiera del menú—siempre y cuando pagara. Obviamente era un tiempo de adaptación y superación, ya que no iba a ganar dos dólares y luego gastar esos dos dólares en hamburguesas con queso, papas fritas y un Coke grande. Así que, se me ocurrió un plan.

Yo coloqué una bolsa de papel debajo del lavatrastos y cada plato que llegaba a la cocina con sobras de pollo, camarón, o bistec, que parecía que no había sido tocado, se iba a la bolsa. ¿Cuántos chicos conoces que comen eso en la cena y el desayuno? Nuevamente, la respuesta de «¿Cómo?» es «¡Sí!». Haz que las cosas sucedan para alimentar tu sueño o éste se morirá de hambre.

Durante el verano cuando yo tenía dieciséis años, yo viví en una carpa a la orilla del río en Smyrna, Tennessee. Yo estaba ahí para trabajar, tirando cable detrás de un buldócer, preparando las cosas para crear un lago artificial. Mi mejor amigo y yo vivimos ahí y comimos solamente papas, carne de cerdo y frijoles.

Ese fue uno de los veranos más calurosos, largos y desagradables de mi vida. Yo tenía miedo, dos muchacho solos, cuando gente y animales visitaban nuestro lugar de campamento a cualquier hora de la noche. ¿Qué estábamos pensando?

Pero aun siendo así tan desagradable, era un alivio del cual estaba agradecido porque me permitía estar lejos de mi padre. Él había tratado de suicidarse dos veces frente a sus hijos, trató prender fuego a la casa con nosotros adentro, le quebró la nariz, las costillas y los dedos a mamá, y muchas veces nos golpeó con sus puños.

Un destello de mejoría

Saltando un par de años hacia delante, es el años de 1968 y el tercer años que yo tengo que repetir el último año de secundaria. ¡Así es, tú estás leyendo un libro escrito por una persona que pasó seis años en la secundaria! Yo me gradué en mayo de 1969 y cumplí veinte años en julio de ese mismo año. Fue un padrastro cariñoso quien me recordó que la respuesta a «¿Cómo?» es «¡Sí!». Él me dijo además que, incluso si él nunca iba a hacer nada más por mí, él se iba a asegurar de que yo sacara un diploma de secundaria, lo que por supuesto, yo hice. Él simplemente no permitía que yo renunciara.

Así que, aquí estábamos, en Maize, Kanzas, justo a las afueras de Wichita, viviendo en un garaje de una habitación cubierto por fuera de papel alquitrán negro y con dentro bolsas de aislamiento que estaban expuestas. Nosotros dividimos una habitación en tres con pedazos de cartón de cajas de refrigerador. Todavía éramos pobres, pero un nuevo inicio con un nuevo hombre dándome dirección. Los niños de la escuela ya no nos miraban con desprecio. De hecho, ellos pensaban que era «insólito» el hecho de que teníamos corriente de agua, justo sobre el lavatrastos. Nosotros podíamos además darnos el lujo de escoger de qué lado de nuestra casa de dos ambientes queríamos estar.

Construyendo mejores mañanas

Mi hermano y yo ayudamos a nuestro padrastro a construir ese garaje lenta y meticulosamente. Hasta cierto punto, mi vida estaba representada por esa casa. Yo, también unidimensional por dentro y por fuera. Yo también necesitaba trabajo de remodelación, expandirme y una nueva capa de pintura, por así decirlo. En retrospectiva, yo necesitaba cambiar mi forma de pensar porque nuestras vidas son siempre el reflejo de lo que pensamos. Yo necesitaba levantarme más allá de las circunstancias.

Yo era un soldado en la marina, un mentiroso, buscado por la policía, violento y deshonesto, cuando trataba de encajar en lo que quería. Yo andaba con un resentimiento tremendo hacia la vida. Entonces la encontré. Tú sabes a lo que me refiero. ¡A ella!

Cuando Vickey llegó a mi vida, yo fui presentado a la única persona que me ayudaría a cambiar mi vida y salvarme de la muerte o de la cárcel. Ella me ayudó a vencer mi pasado, hizo que mi presente fuera mucho mejor, y creó un futuro brillante. Su amor fue lo único que no abusé ni subestimé. Es un amor genuino, todo lo cree, todo lo soporta, confía, y sin agenda propia. Ella resaltó cosas en mí que yo ni sabía que estaban ahí. Ella me enseñó que la respuesta a «¿Cómo?» es «¡Sí!».

Ves, yo era una victima «voluntaria». Yo simplemente vivía lo que otros proyectaban para mí. Yo no pensaba por mí mismo ni me hacía cargo de mi vida. Yo era un cobarde que tenía miedo de hacerlo todo menos trabajar para poderse dar el lujo de vivir enfiestado. Secretamente, lo que yo realmente quería era ser feliz y sentirme seguro como lo observaban otros. Pero no sabía cómo hacerlo. Simplemente escribirlo en papel me hace sentir nauseabundo. Esa tiene que ser una de las excusas más grandes conocidas por el hombre. ¿Qué queremos decir cuando decimos, «¿Nosotros no sabemos cómo?»

Toda mi vida, yo acepté externamente lo que otros decían de mí. Internamente, yo soñaba con una mejor vida, pero yo pensaba que era demasiado indigno para merecer una mejor vida, mucho menos hacerla realidad. Ahí estaba a los veintitrés años, habiendo sobrevivido cosas increíbles pero todavía permitiendo que otros dictaran lo de mi vida.

Yo había estado diciendo no a las mejores opciones y oportunidades, y nunca iba más allá de donde estaba, apenas flotando en el agua. Quizás no sea tanto el ¿«Cómo»? que tememos. Para mí era lo tedioso, el trabajo duro, y la determinación necesaria para finalmente decir ¡«Sí»! y aceptar una vida mejor.

Yo me casé con Vickey, asistí a la universidad, y me gradué

en 1976. De hecho, más allá de eso, yo seguí tomando clases en la universidad, siendo el último en 1995. ¿Cómo es posible que yo haya atravesado tantas cosas y pasar a vivir mi sueño? Yo dije, ¡«Sí»! Debido a eso, y a mi persistencia, yo soy privilegiado de poder vivir la vida que de joven soñé. Yo voy a pasar el resto de mi vida predicando el Evangelio y animando a otros a resistir la negatividad de esos que no han logrado nada en la vida—y que sigan adelante y hagan sus sueños realidad.

¿Cómo puede alguien superar un pasado de abusos? ¿Cómo puede uno quitarse ese peso de sentirse indigno? ¿Qué puede hacer que nos demos cuenta que no estamos destinados a ser nuestro peor enemigo, sino lo contrario, nuestro mejor amigo?

Comienza a curar las enfermedades aplicando: La respuesta de «¿Cómo?» es «¡Sí!».

Hasta que salimos y nos movemos más allá de las sombras de la baja autoestima, nunca vamos a dar un paso adelante y más allá. Di «¡Sí!» a las cosas que la vida tiene guardadas para ti. No seas obstaculizado por la excusa de preguntar «¿Cómo?» y quedarte enfangado ahí. Esos que preguntan «¿Cómo?» sin contestar «¡Sí!» nunca van a romper los límites. Ellos nunca van a visualizar lo que hubiera podido ser. Qué triste…

¡Tú eres más que suficientemente inteligente para formar parte del juego de la vida y dirigirte hacia la zona final de tu sueño. Da la vida lo mejor de ti, en lugar de dejar que la vida simplemente gire alrededor del reloj. Eres lo más que suficientemente inteligente para no morir sin su sueño encerrado dentro de ti!

Capítulo 5

Tú eres más que lo suficientemente inteligente para hacer que suceda

Nunca vas a ganar a menos que estés en el juego.

«¡Madre!» dijo el entrenador, «hemos trabajado tan fuerte para llegar a este juego. Yo estoy muy complacido porque jugaste muy bien, y con el brazo fuerte de Johnny, yo sé que podemos. Él ha sido nuestro mariscal de campo de All-State por los últimos dos años, y tenemos que bloquear para él y así podremos ganar el campeonato esta noche.»

Esta era la noche más emocionante en la vida de estos atletas. Jugando fuerte y de manera honesta, ellos podrían se campeones por primera vez en la historia de la secundaria. No había duda que Johnny era la estrella del juego. Cada establecimiento de educación avanzada lo quería en su campus. Si el se lastimaba, todos los entrenadores estaban de acuerdo se perderían todas las esperanzas.

¿Quién está en el banquillo?

El suplente del mariscal de campo era Dave, de quien todos se burlaban y cruelmente le llamaban «Dumboy» (chico tonto). Él nunca había hecho una jugada en toda su vida, pero lo llevaron al partido porque el segundo y tercer jugador estaban fuera por motivo de lesiones. A él únicamente le habían permitido ser parte del equipo porque su padre custodiaba la escuela y era el conductor del bus del equipo. Lo cierto es que él no era el estudiante más brillante en la escuela, pero él sí tenía un brazo más fuerte, mejor y preciso que el de Johnny. Los directores técnicos simplemente no creían que «Dumboy» tenía lo que se requería para liderar el equipo.

El juego comenzó mal porque el equipo contrario hizo que la patada inicial se convirtiera en un touchdown. La primera mitad del juego terminó con un resultado de 7-0. Para el final del tercer cuarto, sin embargo, las cosas parecían prometedoras—terminando con un marcador de 17-14 en contra del equipo de Johnny. De repente pasó algo que causó suspiros, jadeos y gemidos desde las gradas hasta los banquillos. Con solamente ocho segundos que el reloj marcaba y un tiempo-fuera, Johnny estaba inmóvil en el campo. Él había sido noqueado por un golpe rudo pero legal por el linebacker.

Metiéndose en el juego

El entrenador no tenía otra opción. «¡Dumboy, ven acá!» él gritó. «Eh, sí señor,» dijo Dumboy. Tirando su portapapeles al suelo, el entrenador ordenó, «Entra y termina el tiempo que queda en el reloj». «¿Eh, qué jugada quiere que haga?» preguntó Dumboy. A gritos, el entrenador dijo, «¡Haz lo que quieras¡ Eso no hará ninguna diferencia—de todos modos no podemos ganar.» Dumboy asintió con la cabeza, se puso su casco, y corrió de manera torpe hacia el montón.

«Hut uno, hut dos, pase.» Recibiendo la pelota Dumboy fue arrollado casi de inmediato. El pidió tiempo-fuera cuando solamente quedaban tres segundos, enfureciendo al entrenador. La pelota estaba en la línea de la yarda 50, con sólo tiempo suficiente para hacer una jugada más. Dumboy rompe el pelotón y avanza a la línea de golpe para hacer la última jugada en el juego, y solamente el segundo juego de su vida. En desventaja con tres puntos, quedando solamente tres segundos, es un situación muy difícil, incluso para los jugadores con mucha experiencia, mucho menos para alguien como Dumboy.

«Hut uno, hut dos, pase... ¡Hut uno, hut dos, pase!» Dumboy retrocedió como si hubiera jugado toda su vida. Él lanzó un espiral perfecto que llegó al jugador recibidor en el momento exacto mientras cruzaba la línea de gol, ganado el partido de esa manera con un touchdown. Los espectadores se enloquecieron, y Dumboy fue sacado del campo sobre los hombres de sus compañeros hacia los vestidores, un verdadero héroe.

«Si yo fuera así tan "inteligente" como tú...»

Después de abrazar a su familia, el entrenador corrió hacia su equipo, que seguían celebrando con Dumboy como el centro de atención. El entrenador preguntó, «¿Cómo sabías qué jugada hacer en esa situación?». «Ah, yo no sabía», contestó Dumboy. «Yo simplemente vi a través de la línea y vi el número 67, así que sumé esos dos números y lo llamé jugada número 15». «¿Estás bromeando?», preguntó el entrenador, «Seis y siete no suman quince». Dumboy simplemente sonrió y dijo, «¡Se da cuenta entrenador, si yo fuera tan inteligente como usted, hubiéramos perdido el partido!»

Esa historia dice mucho de personas ponen límites que otros raramente cuestionan y usualmente son aceptados como verdad. Pero tú eres suficientemente inteligente para entrar en el juego de la vida y dirigirte hacia el final de tus sueños. Tú no vas a escuchar a los llamados entrenadores que no creen en lo que tú puedes poner en el juego. Tú no vas a permitir que aquellos que están sentados en banquillos dicten tu siguiente jugada. Vas a romper la barrera y darle a la vida lo mejor de ti, en lugar de permitir que el tiempo corra en el reloj. Tú eres más que suficientemente inteligente como para no morir con tu sueño todavía encerrado dentro de ti.

Después de todo no tan tonto...

¿Te has dado cuenta que muchas de las personas con las mentes más brillantes fueron considerados estúpidas y tontas algunas vez? Thomas Edison fue expulsado de tres escuelas y para cuando tenía nueve años era considerado imposible-de-enseñar. Sir Isaac Newton apenas terminó la escuela. Winston Churchill reprobó el octavo grado. El científico de cohetes Werner Von Braun reprobó algebra en el noveno grado. Albert Einstein apenas puso sobrevivir la matemática en la secundaria. Louis Pasteur batalló para poder pasa química, y Abraham Lincoln solamente pudo llegar a pasar un año de educación formal. Hay esperanza para todos nosotros. Todas esa persona que pueden vencer los límites que otros ponen en calificarlos como estúpidos.

¡Se proactivo!

Yo aprendí hace mucho tiempo que nadie va a velar por los intereses de mi futuro de la manera que yo lo hago. Cuando llegas a entender eso, eres lo suficientemente inteligente para hacer cosas que van a ser una diferencia positiva en la vida de otros y la tuya.

Cada negocio o profesión tiene ciertos requerimientos específicos para el éxito. Pero todos ellos tienen una cosa en común—la necesidad de ser proactivo. Así como suena de simple, su significado es profundo. Siempre van a existir esas personas que se aventuran en cualquier negocio o profesión, con la filosofía de que va a ser fácil.

Prácticamente todo el mundo quiere ser rico, y eso es estupendo. Pero existen esas personas que quieren ser ricas, únicamente que no quieren hacer nada, dejando que los demás lo hagan por ellos. Ellos no se hacen responsables de su propio éxito. Ellos no son proactivos ni tampoco dadores. Incluso, si se les ha dado el conocimiento, la oportunidad, y apoyo necesario para crear una nueva manera de vivir la vida, ellos no se mueven hacia delante. Ellos son haraganes. Por ejemplo, no hay ni un solo negocio exitoso o profesión que puedas encontrar donde alguien haya declarado que estaba comenzando, no hizo nada, y llegó a ser rico de manera instantánea.

«Ser libre no es meramente deshacerse de las cadenas que uno lleva, sino vivir de una manera que respeta y realza la libertad de otros.»

Hyrum Smith

Al igual que un jugador de futbol americano, ya sea que rompas la barrera, saltes entre el montón, hagas el pase, corras, patees, o bloquees, ¡simplemente haz algo! De otra manera, simplemente te estás engañado que vas a tener éxito. No vas a ganar a menos que te integres al juego. Sí, eres lo suficientemente inteligente para dirigirte a ti mismo e inclusive a otros a la victoria.

Capítulo 6

Tu pasado no es tu potencial

*Sabe tú, que tú también puedes crecer, convertirte
y obtener lo que otros han alcanzado.*

Nosotros vivimos la mayor parte de nuestras vidas sabiendo que tenemos que prepararnos para el mañana. Sin embargo, muchos esperan 10-20 años antes de jubilarse para comenzar a poner fondos para una vida cómoda. Otros no se preparan del todo. Cuántas veces has escuchado, «¿Por qué no comencé antes?»

Hay básicamente tres maneras de preparar tu futuro financiero: una es pedirle a alguien que lo haga por ti, como un empleado o el gobierno. La segunda opción que es que lo hagas tú mismo. La tercera opción es la combinación de los ambos. ¿Qué juego vas a seguir tú?

Reconociendo el potencial

Tu pasado no es tu potencial. No seas limitado por los pensamientos de que tus errores del pasado van a ser la regla de todos tus mañanas. El pasado es como agua que fue derramado en tierra seca; no puede ser recolectada y puesta de nuevo en el vaso. A medida que avanzas, vas a crear más éxito sobre el cual construir. Esto te va ayudar a alimentar el nivel de creencia. Tú tienes que creer que puedes, por o menos un poquito, para poder empezar, antes de que honestamente puedas decir «Yo lo voy a hacer». Recuerda, tú fuiste creado para convertirte mejor que puedas.

Muchos se preguntan cuál es su potencial, o incluso si tienen potencial. Cuenta la historia de un hombre anciano de estado finamente vestido que estaba caminando con el alcalde, disfrutando de las atracciones, sonidos y aromas de la ciudad. Cuando llegaron a una esquina, un muchacho joven pasó corriendo junto a ellos—golpeando al estadista en los pies—el elegante hombre de sombrero cayó al suelo. El alcalde reaccionó rápidamente, agarró al joven, y comenzó a darle una buena regañada.

Respirando profundamente para limpiar su cabeza y ponerse el sombrero nuevamente, el estadista lentamente se puso de pie y le pidió al alcalde que dejara ir al muchacho «¿Qué?» preguntó el alcalde, «¿Me estás diciendo que deje libre a este muchacho malcriado?» el viejo estadista hizo algo inesperado: Parado rectamente, inclinando su sombrero ligeramente abollado y haciendo una señal de reverencia, el hombre viejo dijo, «Por favor disculpe joven», a lo cual el muchacho sacó la lengua y salió corriendo.

«Señor, ¿por qué se ha quitado el sombrero en señal de respeto hacia alguien que le pudo haber dado el debido respeto?» el alcalde preguntó desconcertado. Esperando hasta que el muchacho desapareciera, el estadista se dio la vuelta y explicó, «Yo me quité el sombrero en señal de respeto a nombre del potencial del muchacho». «Él simplemente es un chico de la calle y salvaje en ese sentido», insistió el alcalde. Sonriendo, el estadista continuó, «Señor, lo que nosotros como adultos parecemos olvidarnos es que todas las mujeres y hombres grandiosos, fuimos, alguna vez, simplemente niños de seis años con potencial.

Midiendo el potencial

¿Así que, cómo se mide el potencial? Algunas personas usan un examen para determinarlo, pero es mucho más que eso. Los resultados de los exámenes pueden ser falsos indicadores porque éstos no miden el deseo y la determinación.

Los pesimistas abundan y les encanta poner abajo a aquellos que están en el proceso de convertirse en grandes triunfadores. Pero esos que siguen su sueño hasta que los consiguen les demuestran que están equivocados. Por ejemplo, a Clint Eastwood le dijeron que nunca iba a llegar lejos en su carrera de actuación porque su «nuez de Adán» era demasiado grande.

A Charles Bronson le dijeron que él tampoco podía lograrlo. Elvis fue vendido de la disquera Sun por apenas $35,000 para luego convertirse en la estrella mayor de grabación de la historia. En todos estos ejemplos, lo que a ellos les dijeron en el pasado no determinó su éxito en el futuro. El deseo y la determinación siempre ganan al final del día—siempre y cuando no renuncies.

Un domingo, cuando mi ministerio de predicar, yo estaba

saludando a las personas cuando éstas estaban saliendo de la iglesia. Un compañero se paró, me dio la mano, y comentó lo siguiente: «Muchacho, no te preocupes de no poder predicar, todavía eres muy joven». Yo estaba devastado, pero después de mi cuenta que ese individuo, en su manera torpe, me estaba diciendo que nunca renunciara a lo que estaba haciendo y que iban a venir mejores días más adelante. Todos aquellos que llegan a la cima, estuvieron alguna vez abajo.

Quebrantado por el pasado

La mayoría de nosotros hemos estado en un circo, o lo hemos visto por televisión. En el pasado solía molestarme al ver a los elefantes. Yo no podía entender porqué ellos no se escapaban. Ellos son tan grandes y fuertes, pero aun así todos ellos estaban atados solamente con una pequeña cuerda y amarrados a una estaca en el suelo.

Los elefantes, en cualquier momento, podrían haber arrancado la estaca y escaparse.

El amarre de los elefantes y su aceptación a esto como límite a su libertad es similar a los límites que quizá nosotros ponemos a nosotros mismos en una o más áreas de la vida. Mucho antes de que el elefante sea atado a la cuerda en el circo, el animal es atado a cadenas pesadas de las cuales ellos constantemente estiran en un esfuerzo para liberarse de ésta. Este proceso dura todo el tiempo necesario hasta que el elefante para de tratar de romper el límite de sus cadenas—en efecto, hasta ser «quebrantado». Cuando esto sucede, su pasado se convierte en su potencial.

Mucha gente está bloqueada en su búsqueda de éxito porque ellos, también han sido «quebrantadas». Ellos permiten que el miedo a fracasos futuros que vinieron de los fracasos de los esfuerzos pasados entumezcan sus mentes, por lo tanto, nunca desarrollan su potencial en totalidad. ¿Por qué? Ellos nunca perseveran lo suficiente para romper las ataduras mentales del pasado. Todo lo que tienen es una historia de fracasos, con frecuencia intentos débiles para abrirse paso y lograr algo. Como resultado, ellos no creen que pueden obtener lo que otras personas a quien ellos admiran han obtenido. Ellos creen que el pasado es su potencial, y eso se convierte en realidad. Ellos no se dan cuenta que esos llamados fracasos son simplemente experiencias de aprendizaje.

Cualquiera que tiene éxito atraviesa por muchas de experiencias y crece cuando está en el proceso.

Ellos no permiten que otros los amedrenten

Un joven científico que se rehusó a admitir fracaso dijo, «Todavía no hemos fallado, ahora tenemos conocimiento de 1.000 cosas que no funcionan, así que estamos mucho más cerca de encontrar lo que sí va a funcionar». Su nombre era Thomas Edison, ¿acaso y no estamos contentos de que él no haya creído que su pasado era su potencial para desarrollar la bombilla?

Ignorado por sus compañeros y llamado inepto por los maestros hubiera sido suficiente para desanimar a muchos, pero no a este muchacho joven. Él era tan lento para aprender que sus padres pensaron que había algo mal en él. En Zurich, Suiza, él falló su primer examen de admisión a la universidad. Finalmente, ingresó a la universidad y llegó a ser un científico de renombre. Su nombre era Albert Einstein.

Le decían, «Punta de Zanahoria» y falló dos veces el examen de admisión a la Academia Militar. Con mucha ayuda, él lo logró a su tercer intento. El pasado no iba a ser el potencial de Winston Churchill; una nación fue rescatada y él inspiró a mundo entero con su brillantez.

Expulsado de Oxford y sacado de casa por su padre debido a que éste proclamaba su apoyo por a libertad de expresión y religión, fue echado a la cárcel cinco veces a causa de sus creencias. Él llegó a América y vivió en Filadelfia. Ahora, un estado lleva su nombre. Su nombre era William Penn. Él se negó a que su pasado interfiriera con su futuro—al igual que Edison, Einstein, y Churchill.

No te ahogues en tu propio potencial

Como lo cuenta la historia, un joven muchacho se acercó una vez a un gran filósofo y le preguntó cómo había llegado a tener sabiduría. Para gran sorpresa del muchacho, de repente el filósofo lo agarró, se lo llevó a una montaña cercana, le empujó su cabeza bajo el agua. Sosteniendo la cabeza del investigador serio bajo el agua por un tiempo, el hombre sabio solamente sonrió y le guiño el ojo al un transeúnte.

Finalmente el filósofo soltó al individuo—quien desesperadamente reaccionaba para agarrar aire para su próximo suspiro. ¿Por qué hiciste eso? El solicitante preguntó. «¡Yo casi me ahogo!». Riendo a carcajadas, el filósofo contestó, «Joven, cuando sientas desesperación de conocimiento, así de la misma manera como la que sentiste momentos atrás, entonces estarás en el camino».

Muchos fallan porque se permiten a sí mismos ser sostenidos debajo de su potencial, como lo han hecho en el pasado. No te permitas a ti mismo ni a nadie ahogar tu potencial y no ahogues el potencial de esos que quizás busquen tu liderazgo y dirección. ¡Tú nunca sabes quién te está observando!

Todos aquellos que llegan a la cima han estado abajo. Cuando andes en búsqueda de un sueño de toda la vida, la entrega siempre viene de las victorias — antes del día de éxito. Toma control de quien eres, y, todos los días, haz lo que mejor que puedas para acercarte más a la persona que estás destinada a ser.

Capítulo 7

¿Estás trabajando para tu día de logros?

Los verdaderos logros implican más que dinero—
va más allá del resultado final. Se trata de adoptar
una mejor manera de ser y de servir.

Como de costumbre, los empleados se habían reunido en el restaurante del lugar para almorzar. Hasta este momento, la rutina del día fue interrumpida por un descanso de bienvenida en la acción. Bob, un hombre muy agradable en sus cuarentas había estado con la compañía por un poco más de dos años. Él siempre llegaba a tiempo y se quedaba el tiempo que fuera necesario, sin pago extra, para terminar el trabajo. Sus superiores pudieron evitar darse cuenta. Este era un día especial, y todos sabían menos Bob.

El dueño de la compañía había pasado la voz que, para el almuerzo, honrarían a Bob con un premio a la excelencia por su servicio dedicado a la compañía, y darle una posición de mayor responsabilidad.

Oportunidad perdida

El dueño de la compañía estaba en la cola unos pocos lugares detrás de Bob para poder pagar la cuenta. Todos estaban disfrutando de la conversación, la comida, y anticipando el bien merecido premio para el compañero de trabajo. ¡Pero no pasó nada! Después del almuerzo, el dueño se paró y agradeció a todos por ayudar a que su negocio estuviera mejor que nunca. Pero ni una sola palabra fue dirigida a Bob. Todos se estaban mirando el uno al otro, desconcertados.

· Lo que ocurrió esa tarde realmente causó muchos chisme. ¿Por qué había sido Bob despedido? Nadie supo hasta ese día después esa misma tarde. El jefe de Bob vio a Bob esconder una porción de mantequilla de tres centavos bajo su plato, y después hizo en comentario, «¿Cómo puedo confiar mi negocio de un millón de dólares a alguien en quien no puedo confiar ni una porción de mantequilla de tres centavos?»

Muchos han tenido la oportunidad de tener muchos días de logros en su vida solamente para comprometer su integridad con algo tan tonto como una porción de mantequilla de tres centavos. Algunos comprometen su éxito aceptando mediocridad, y quedarse enfangados en la aburridora rutina diaria, como algunos lo llaman. Otros comprometen su futuro por al dejarse vencer por el miedo al rechazo.

El día del éxito y una vida mejor podrían haber estado a la vuelta de la esquina, pero ellos permitieron que el miedo los mantuviera en el fondo de la montaña del éxito. ¿Alguna vez te has puesto el traje para escalar, luego tomar la oportunidad y las herramientas y luego llegar al campo, solamente para rendirte y volver al fondo?

¿Quién quiere una mejor vida?

Si te perdiste del día de éxito, anímate y comienza de nuevo. Sigue trabajando para conseguirlo. Abraza la oportunidad de para una verdadera realización. Quita todas las barreras para legar a hacerlo realidad.

El verdadero logro involucra más que dinero. Es adoptar una mejor manera de ser, de vivir y de servir. Es tomar responsabilidad de quien eres, todos los días, poniendo tu mejor esfuerzo para llegar a ser la persona que estás destinado a ser. Es hacerte cargo de tu futuro y hacer un esfuerzo requerido para crear la clase de vida que siempre has soñado. Consigue la libertad para disfrutar la independencia que siempre has querido. Reclama lo que pudiste haber logrado antes de romper a través de tu viejo hombre y otros límites impuestos por ti mismo.

Tan cerca—sin embargo tan lejos

Lo que es triste es que algunos que tienen la oportunidad de lograr la libertad financiera, o por lo menos crear una mejor vida, lo dejan escapar. Ellos piensan que siempre estarán ahí y que algún día lo harán. Ellos no pueden aprovechar el poder del momento.

Por ejemplo, treinta millas de Auburn, California, se encuentra Sutter's Mill, lugar donde se inició la Fiebre de Oro de 1849. Treinta millas al otro lado de Auburn se encuentra otro lugar, no tan popular. En una cueva en ese lugar encontraron el cuerpo de John Marshall, quien descubrió el Sutter's Mill. Él, desafortunadamente, nunca hizo ninguna patente por su hallazgo, y dejó este mundo enfermo, en bancarrota, y sin ningún tesoro que estuviera a su alcance. ¿No pudieron esas personas hacer una coperacha de las pepitas de oro que habían reunido y darle un poco de esperanza? Claro que sí, pero no lo hicieron. También dependía de John...

Tramitar derecho de propiedad

¿Estás cometiendo el error de descuidar la oportunidad que está frente a ti? John Marshall pagó el precio por eso, y nadie parece haberse dado cuenta o a nadie parece haberle importado que él haya dejado paras su éxito así por así. Era su responsabilidad tomar posesión de lo que pudo haber sido suyo, el no debió haber dejado que se le escapara. No dejes reclamar lo que te corresponde. No observes de manera ociosa y veas como otros intervienen y cosechan las recompensas que tú también podrías reclamar.

Presenta el reclamo en la oficina de tu propio corazón así puedes minar el oro. Lo primero es topografía y protección, presentar el reclamo, y luego cavar... haciendo el esfuerzo necesario. Examina tu situación de manera honesta, luego reclama para poder tener un mañana mejor que hoy. ¿Qué tan hondo estás cavando para asegurar tu propio día de éxito?

Cuando estés en busca de un sueño para toda la vida, la sumisión a ésta siempre viene antes de cualquier victoria, antes de cualquier día de éxito. Toma control de quien eres, y cada día pon tu mejor esfuerzo para llegar a ser la persona que estás destinad a ser.

Aunque ellos decían que él estaba loco...

Marvin Phillips, *You Can Fly To Heaven in a Straight Line* (Tú puedes volar al cielo en línea recta), cuenta la historia de Garson Rice de Greensboro, Carolina del Norte. Él hizo noticia por vender 904 Toyotas en solamente un mes. Esto fue una hazaña increíble, especialmente le había tomado todo un año vender 120 en año anterior. Como resultado, había perdido apoyo financiero y la gente le dijo que estaba loco por vender algo de Japón. Garson, no siendo alguien que se daba por vencido, siguió adelante con su sueño. Él no solamente quería tener éxito, él lo intentó.

Garson comenzó las garantía de 100.000 millas en tres años. Él creyó en su publicidad y que hacer negocios sin publicad era como guiñarle a tu esposa en la oscuridad. Tú sabías lo que estabas haciendo pero ella no. Sus siete claves del éxito son:

1. Persistencia

2. Expectativa

3. Concentración

4. Entusiasmo

5. Excelencia

6. Publicidad

7. Preocuparse por la gente

No solamente no puedes volar al cielo en línea recta, sino que tampoco puedes encontrar camino al éxito financiero de esa manera. Siempre habrán obstáculos amenazando con impedir tu progreso. Como lo dijo Phillips, «No se escriben artículos acerca de acerca de las personas que siempre son pesimistas». Se escriben artículos de los que poseen los títulos mundiales como Garson Rice. Comienza a volar y tu día también te va a llegar.

Trabaja para llegar a ese día de éxito. Abraza la oportunidad para un logro real, y quita todas las barreras para que llegue a ser realidad.

La mayoría de las personas saben lo que quieren, pero no se preparan. Ellos crecen o cambian sus hábitos para ir en dirección correcta. ¿Y qué hay de ti? La dirección donde estás yendo te va a conducir a donde quieres estar?

Capítulo 8

Los espantapájaros no llegan a ningún lugar

Si tú no lo haces, ¿quién va a ser exitoso por ti?

Nunca trates de compensar la falta de fe en ti mismo acurrucándote en una frazada caliente. Porque es ahí donde estableces el control del los niveles ideales de comodidad, mientras pones a un lado la oportunidad para una mejor vida. todavía no has logrado la vida que quieres, pero estás cómodo.

Yo tengo dos hijas maravillosas. Cuando esos dos brazos pequeñitos se aferraron por primera vez a mi cuello, yo supe que tenía que cambiar de estar en neutro en mi vida. ¿Sería yo el señor Espantapájaros, o el señor Toma Control?

Sal del jardín

Algunos hijos le dicen a su padre que quieren ser como ellos cuando sean grandes. Sin embargo, ya sea que tengamos o no, hijos que estén buscando orientación en nosotros, no podemos darnos el lujo de se el espantapájaros de la familia. El señor espantapájaros está en el jardín atascado donde está—no está haciendo nada malo, pero tampoco está siendo productivo. Todo lo que lleva acabo con todos sus mañanas tiene que llegar su camino porque él nunca se aventurará a salir del jardín de su dueño, ni tampoco tiene la habilidad de hacerlo. Él parece con vida, pero hay mucha diferencia entre estar con vida y parecer estar con vida—así que sal y trabaja fuerte para lograr lo quieres y estar donde quieres estar en el futuro. La gente que no tiene ningún objetivo, da al blanco cada vez. Golpear la nada no requiere hacer nada.

El Día de la Carrera en la escuela secundaria, nos preguntaron a mí y a un amigo qué íbamos a hacer después de nuestra graduación. Nunca me olvidaré la respuesta de mi compañero: «Yo quiero ser un holgazán». Todos se rieron pensando que era una broma. «No», continuó diciendo mi amigo, «eso es lo que siempre he querido ser».

La última vez que supe de él, el era un exitoso holgazán, prácticamente en eso se había convertido. Él es un espantapájaros. Él quiere ser notado solamente poniendo el menos esfuerzo posible para mantener su puesto de trabajo, sobrevivir, y pagar sus facturas.

Prepárate para tus sueños

Nunca vamos a ser más exitosos de lo que somos ahora si una gran ética de trabajo. Cuando era niño, Mickey Mantle solía practicar bateo golpeando una llanta vieja colgada de una cuerda—500 veces al día. Después de que su carrera había terminado, alguien le preguntó a Mickey si él hubiera hecho algo diferente para prepararse.

Él respondió, «Yo golpearía la llanta 1.000 veces en

lugar de 500». Mickey sabía lo que quería. Se enfocó atentamente en eso tomó medidas para prepararse en la exitosa realización de su deseo.

Muchas personas saben lo que quieren pero no se preparan. Ellos nunca crecen o cambian sus hábitos para ir en la dirección correcta. ¿Y tú? La dirección que estás tomando de está llevando al lugar donde quieres estar?

¿Por qué los países con loterías reúnen tan grandes cantidades de dinero? La mayoría de las personas sueñan con ser ricas. Es más fácil comprar un boleto de lotería incluso con probabilidades de uno-en-un-millón en contra para poder ganar, que en lugar de hacer el esfuerzo donde los resultados dependen de nosotros. Cuando audazmente tomamos medidas con dirección a nuestros sueños, las recompensas son mucho mejor que simplemente ganar la lotería. En lo que nos convertimos como personas, es lo que en sí, nos hace ricos.

Diez preguntas sobre el éxito

Ahora toma un momento, saca un pedazo de papel y escribe las respuestas de estas diez preguntas:

1. ¿Cuál es tu sueño principal, tu meta, tu objetivo?

2. ¿Qué se necesita para llegar ahí?

3. ¿Estás dispuesto a pagar el precio?

4. ¿Qué vas a hacer después que lo logres?

5. ¿Crees en TI y en tu habilidad para hacer que eso suceda?

6. Si eres un espantapájaros, ¿cómo se siente estar estancado en el jardín de otro?

7. ¿La dirección que estás tomando te va a llevar a lo que quieres lograr en la vida?

8. ¿Qué crees que te está deteniendo de ir hacia tu meta? ¿Podría se un área donde necesitas crecer?

9. Dentro de unos años, ¿te vas a arrepentir de no haber puesto tu mejor esfuerzo hacia una oportunidad que quizás ya tienes?

10. Si no tú no lo haces, ¿quién va a ser exitoso por ti?

«No» siempre te conduce al «Sí» siempre y cuando sigas avanzando

Los espantapájaros pertenecen al jardín en la intersección de «no hacer nada» y «sólo para adorno». ¿Qué tal si vuelves a la vida y haces crecer tu propio jardín?

Algunos quizás digan que tienen miedo de escuchar «No», pero piensa por un segundo. Todos hemos escuchado «No» miles de veces desde que éramos bebés hasta que salimos de casa, y más allá. Y aunque no hemos escuchado una y otra vez, nosotros de todos modos crecimos y maduramos. ¿O no? Escuchar «No» no nos impidió crecer y llegar a ser adultos.

Lo mismo ocurre cuando se trata de escuchar la palabra «no», en el medio de los negocios. Nunca vas a conocer a alguna persona exitosa a quien no le hayan dicho «No» muchas veces. Eso es simplemente parte del camino del éxito. Así de decepcionante como es, no todos están listos para decir «No». Por lo menos no en estos momentos. Escucha suficientes «No»s y eventualmente vas a comenzar a escuchar «Sí». Has todo lo que se necesita para salir de esa posición donde estás parado como espantapájaros en el jardín de alguien más. Vuelve a la vida; comienza a labrar, plantar, y cosechar tu propio jardín. El viaje de espantapájaros hacia el éxito comienza cuando tú te haces cargo y dices «sí». Si sientes la tentación de decir que es demasiado tarde, recuerda las palabras de Mahatma Ghandi: «No es demasiado tarde. Tú simplemente no sabes de lo que eres capaz».

La mejor manera de llegar a ser financieramente libre es ayudando a los demás. Cuando tenemos el conocimiento que necesitamos para llegar a ser ricos, somos responsable de dárselos a otros. Guardarse el conocimiento para si mismo es egoísmo y no nos va a hacer ningún bien, ni a nosotros mismos ni a nadie más ningún bien.

Capítulo 9

¿Es el dar el secreto del éxito?

¿Qué es lo que tienes para dar que puede enriquecer la vida de otros?

Él fue a la pequeña comunidad agrícola en una larga y lujosa limosina blanca. Dondequiera que iba en este pequeño pueblo la gente volteaba a mirarlo. Él creció en este pequeño pueblo pero no había regresado desde que tenía 18 años.

Ese día, sin embargo, él era el orador destacado en la iglesia donde atendía con regularidad. Era su reunión anual, y su tema era acerca de cómo ser más exitoso. Él era el mejor orador que ellos hubieran podido traer. Después de todo él era un multimillonario bondadoso y filántropo, y era muy estimado y se hablaba mucho de él en la comunidad por muchos años.

Su limosina llegó a la iglesia justo a tiempo, y él salió con una confiadamente sin una arruga en su terno finamente confeccionado. Su cabello era de un estilo impecable sin un cabello fuera de su lugar. Su sonrisa brillaba en el sol, revelando remarcables dientes rectos y blancos. Pronto, él fue rodeado de miembros y visitantes de esta pequeña asistencia y pintoresca asistencia con asistencia promedio de sesenta. Pero hoy, mas de doscientas personas entusiasmadas habían acudido a escucharlo, y tuvieron que poner sillas extras en los pasillos.

¿Deberías de ser más dadivoso?

Después de la presentación del ministro, él hombre honrado comenzó amablemente: «Damas y caballeros, es un privilegio poder pararme aquí frente a ustedes para celebrar otro año de regreso al pueblo natal. Como quizás ustedes sepan, yo he estado lejos más años de los que puedo contar. A mí me han pedido que hable de cómo convertirse en alguien exitoso, y yo me siento muy honrado y emocionado de tener esta oportunidad. Yo lo voy a ser algo simple.»

Señalando a una de las bancas de adelante, él continuó, «Ahí era donde mis padres y yo nos sentábamos todos los domingos. Lo que cambió mi vida, lo recuerdo como si fuera ayer, fue cuando tuvimos una visita de un misionero para que diera el mensaje de un domingo por la tarde. Él habló de todo el trabajo misionero que estaba haciendo en el país donde le enviaron, y lo pobre que era la gente. Él también compartió de cómo, con fondos adicionales, mucho más trabajo se hubiera podido hacer.

»Ahí estaba yo sentado, un muchacho de quince años de edad que había trabajado muy fuerte en los campos de algodón con mis padres. Después de comprar ropa y zapatos, me quedaba solamente un dólar de plata. Yo lo llevaba, con una maravillosa sensación de éxito, en los bolsillos de mi overol. Yo realmente quería guardarlo, pero, en este día en particular, cuando pasaron el recipiente para la colectar, yo me sentí obligado a dárselo al misionero. Nadie me forzó. Mi consciencia no permitió que me quedara con éste. Después de todo, yo había sido bendecido al haber comprado ropa nueva y zapatos nuevos el día anterior.

»Yo me sentí como un millón de dólares radiantes. Mis padres me abrazaron y me dijeron lo feliz que estaban por mi generosidad. Yo aprendí una valiosa lección ese día. Definitivamente es mucho mejor dar que recibir. Amigos, uno de los secretos del éxito es ser dadivoso. Aquel día yo di todo el dinero que me quedaba, y yo estoy haciendo mi mejor esfuerzo todos los días para ser un dador generoso. Yo sigo mis impulsos de mi conciencia y siempre actúo sobre mi intención de hacer lo correcto en todas las áreas de mi vida. Yo me paro frente a ustedes tremendamente bendecido. Apenas puedo creer que soy el hombre más rico del estado y uno de los hombres más ricos del país. Sé un gran dadivoso, grande de corazón, mientras te preocupas de ayudas a otros y serás bendecido.»

¿Qué es lo correcto hacer?

Toda la gente animaba y aplaudía—así es, todos menos uno. Un señor de avanzada edad que estaba sentado en la primera fila levantó su mano. Después de unos momentos, el predicador se dio cuenta y lo animó a que se para y hablara.

«¿Señor, lo entendí correctamente?» comenzó diciendo el hombre de avanzada edad. «¿No está diciendo que usted se convirtió en multimillonario porque le dio un dólar al misionero? Preguntó el hombre. «Sí» contestó el invitado. «Entonces señor, con todos su millones, yo le reto a que lo dé todo nuevamente.»

Hubo un silencio total por unos pocos segundos, y luego la audiencia comenzó a reír a carcajadas. El hombre de avanzada edad fue el único que tuvo el valor de desafiar lo que estaba proponiendo el orador—lo cual, si se toma por su valor nominal, parece tener un poco de sentido. Ambas, tanto dar como las bendiciones, no están destinadas a ser simplemente acciones singulares. Se requiere que sean ciclos constantes.

Sonriendo, el orador respondió calmadamente, «Todo comenzó ahí. La semilla de mayor generosidad fue plantada in mi corazón como ahora la estoy plantando en el suyo. El inmenso gozo y gratitud que yo sentí después de haber dado ese dólar me convenció a ser un dador de por vida—de mí mismo, mi compasión por toda la familia humana, y mis talentos y destrezas».

Continuó explicando que el dar se puede hacer aprovechando las oportunidades de servir y hacer la diferencia que todos tenemos todos los días. Esos deben de ser eventos continuos cada día. Por ejemplo, si estás construyendo algún negocio o profesión, esto incluye conocer nuevas personas, tomar interés en ellas, averiguar cuáles son necesidades y sus deseos, y compartir con ellos y ayudarlos lo más posible.

«Florece donde se te ha plantado», dice el refrán. Siempre busca oportunidades de ayudar. Nosotros damos porque es correcto, y nos da placer hacerlo—no solamente para conseguir más. La verdad es, que las bendiciones siguen, pero no si nuestro corazón no está en lo correcto. Nuestras vidas no son bendecidas simplemente porque dimos cuando teníamos quince años y nunca más lo volvimos a hacer. Somos bendecidos en cualquier y todas las edades por medio de dar.

Los falsos se notan fácilmente—sé de sustancia, no de imagen

Esos que están en negocios o profesiones respetables tienen que creer que honestamente que lo que ellos tienen que dar a otros es el mejor producto, el mejor servicio, y la mejor oportunidad disponible. Las personas falsas se detectan y se eliminan fácilmente rápidamente in el medio de los negocios. Algunos quizás sean como una cartelera que luce muy bien cuando uno se va acercando, pero tras investigación, tiene muy poca sustancia más allá de la fachada.

Es posible que se descubra que él o ella no es más que impostor(ra) sin nada de valor para dar a otros—en formas pequeñas o grandes. Esa persona solamente estará proyectado una imagen de beneficio, y la mayoría de las personas son motivadas la esencia—éxito comprobado, no solamente la apariencia de éste. Si estás compartiendo una oportunidad y todavía no tiene mucho éxito en ese ramo, este ejemplo puede ser compartido por medio de un líder, un mentor, u alguna otra persona exitosa en tu negocio o carrera hasta que tu llegues a ser exitoso y puedas compartirlo tú mismo.

La gente tiende a querer dos cosas—verdad y esperanza. Cuando los ofrecemos con integridad y amabilidad, estamos en el camino hacia la libertad financiera o cualquiera que sea nuestro sueño. Nosotros, como personas que sostienen altos estándares éticos, somos una parte significativa de lo que sea que estemos ofreciendo a otros. Nosotros somos parte de lo que damos y la entrega. Extiende la mano en señal de amistad para ayudar a otros a lograr sus metas y sueños, haz que su vida sea más fácil o a superar un reto. Siempre y cuando tengamos algo genuino para compartir, esos que están interesados van a descubrir que somos reales, y no falsos.

¿Usamos medida grande o medida pequeño?

Nosotros no tenemos que darlo todo para se exitosos, pero sí debemos de dar. Somos recompensados por lo que damos, ya sea tiempo, talento, cuidado, dinero, y en otras maneras. ¿Es pequeña o grande nuestra forma de pensar? ya que nuestra recompensa está basada en la forma sincera en que damos. ¿Por qué todavía pensamos usar una medida pequeña? De hecho a mí, dame un buldócer. ¿Te apuntas?

Cada vez que se usa la palabra «dar» inmediatamente pensamos en dinero. Claro, puede ser dinero, pero vamos a cavar más profundamente en el sentido completo de dar. Como ministro, permíteme darme el gusto por un momento mientras hago referencia a la Biblia.

En Hechos 3, encontramos a Pedro y Juan que encuentran a un lisiado de nacimiento. El hombre fue llevado a la puerta del templo para mendigar dinero. Pero Pedro, en lugar de darle dinero, le dio sanidad: «No tengo plata ni oro pero lo que tengo te doy, en el nombre de Jesús de Nazaret, levántate y camina». Ahora bien, en ningún momento estoy haciendo equivalencia y comparando lo que nosotros podemos dar con lo que la inmensidad de Dios puede dar. El asunto es que nuestra manera de dar no tiene que ser siempre monetaria. Puede ser compartiendo el conocimiento, nuestro producto, servicio u oportunidad, libros, oraciones, abrazos, ánimo, o una variedad de cosas.

Recuerda, la gente que tiene hambre no quiere información; quiere comida. La gente que está considerando seriamente en llegar a ser libre financieramente no quiere una copia del estado de cuenta de un millonario, sino el conocimiento de cómo él o ella llegaron a la libertad financiera. Así lo puede duplicar.

¿Quién más puede querer o necesitar lo que tu ofreces?

Dar se trata de llenar una necesidad o deseo de la persona que recibe, quien, sucesivamente, enriquece al dador. Es una clave secreta para el éxito y la felicidad. Antes que nada, ¿Lo que estas dando te está llenando tu necesidad? Entonces, ¿qué tal si lo compartimos generosamente y llenamos las necesidades de otros? Si lo que has compartido o has dado te ha bendecido, y por lo tanto, mejorado tu vida, entonces será un placer transmitirlo, ¿o no?

Como en la película *Pay It Forward* supone, da a

otros de la misma manera que se te ha dado a ti. Aquí tienes un ejemplo: la mejor manera de llegar a ser libre financieramente es ayudando a otros. Cuando tenemos el conocimiento que necesitamos para llegar a ser ricos, nosotros somos responsables de dárselo a otros. Quedarse con el conocimiento es egoísmo y no nos va a beneficiar a nosotros ni a ningún otro.

¿Estás dispuesto a cruzar la raya?

En 1836, ciento ochenta y ocho hombres perdieron su vida en la batalla del Álamo. Se dice que, un día, el Coronel Travis caminó frente a sus hombres y desenvaino su espada. Luego, él dibujó una línea en el suelo del Álamo y preguntó: «¿Quién de ustedes está dispuesto a pararse sobre esa línea y morir conmigo?», cada uno de esos hombre se paró sobre esa línea—incluso Jim Bowie, quien había sido herido y sobre una camilla, fue llevado y puesto sobre la línea para tomar su lugar con los otros hombres.

La mayoría de nosotros no tenemos que dar la vida por el servicio militar. Sin embargo, dar todos los días en servicio hacia otros es esencial para alcanzar nuestros sueños de más libertad personal. Dar el la clave de la felicidad en cualquier cosa. Las naciones libres disfrutan de esa libertad que tienen, solamente porque muchos han dado su vida como máximo sacrificio.

¿Qué tienes que dar para enriquecer la vida de otros? Nadie llega a ser financieramente independiente a menos que ellos en su búsqueda hayan sido apoyados por otros.

Por ejemplo, es posible que otros hayan dado consejo, dinero, conocimiento, contactos, o simplemente apoyo moral. Yo te reto, comenzando desde hoy, que incluso seas más generoso en espíritu. Con mente abierta, da todo de lo que sea que tengas para compartir, tan a menudo como puedas—sin esperar nada a cambio— luego observa los resultados positivos que te llegarán y son vertidos en tu vida.

«No hagas planes pequeños; ellos no tienen magia para agitar la sangre y es posible que ni ellos mismos se den cuenta. Haz planes grandes; yo tengo mucha esperanza y trabajo, recordar que un plan noble y lógico, una vez se haya grabado no va a morir.»

Daniel H. Burnham

Capítulo 10

¿Y qué es el éxito?

Establece metas que requieran estiramiento—
apunta a lo alto. A nadie le importa tu éxito tanto
como tú.

¿Cómo sabes cuando eres exitoso? Algunas personas dicen que todo depende de la manera que lo definas. Seguro, el éxito es la realización que va en aumento de una idea personal digna, un sueño, una meta, pero es algo más que eso. La gente verdaderamente exitosa tiene además, tranquilidad de espíritu, buena salud, relaciones de afecto, realización personal, fe fuerte y libertad financiera. Ellos trascienden los llamados límites para lograr una vida extraordinaria con esos elementos en su lugar.

Piénsalo. Sin buena salud y tranquilidad de espíritu, no puedes disfrutar los frutos de tu trabajo. Si no tienes personas con quien tener buenas relaciones, no tienes con quien compartirlas. Sin realización personal y fe, tú vas a tener un sentimiento de frustración y vacío. Sin libertad financiera, siempre vas a estar preocupado de tener suficiente dinero para satisfacer las tus deseos y necesidades, y vas a estar en problemas en cuanto a situaciones financieras.

Cuando la gente exitosa alcanza una meta, siempre se pone una nueva meta. ¿Por qué? Porque tiene la necesidad de mantener esa realización. La gente entiende que el éxito es un proceso, no un destino. En primer lugar, la gente que tiene poco éxito quizás tuvo muy pocas aspiraciones o ni siquiera tuvo aspiraciones del todo—permitiendo que su supuesto límites lo limitara. Quizás no creía mucho en si mismo ni creía que podía lograr lo que realmente deseaba. Quizás no tenía suficiente fe en que el Creador la puso en esta tierra para sobresalir y ser exitosa.

En un lugar donde yo estaba predicando, teníamos un retiro de caballeros para revitalizar el entusiasmo. A media fin de semana, estábamos muy animados y comenzamos a establecer nuevas metas. Uno de los diáconos sugirió, «¡Propongámonos la meta de tener asistencia semanal de 1.000 dentro de los próximos cinco años!»

¡Soplando el hollín!

A mí me encantó el entusiasmo del diácono, pero esta congregación había existido desde 1930 y nunca había tenido un promedio mayor al de 183 los domingos en la mañana. Ellos redujeron la cifra de 1.000 a algo que ellos pensaban que era más factible, 300. Los ancianos tenía fe que esto se podría llevar a cabo, pero ellos tenían que movilizar a la congregación para la causa.

Uno de los diáconos sugirió que antes de que fijáramos la meta de 300, tuviéramos una día especial llamado «Día de Amigos», para lo cual invitaríamos a nuestras familias, amigos y vecinos. Como lo dijo otro diácono, «Vamos realmente a poner manos a la obra y soplar el hollín de nuestra fe displicente». Habíamos fijado una fecha para nuestro objetivo, pero aún no habíamos decidido qué cantidad. Yo me senté ahí asombrado del entusiasmo de estos hombres que previamente no tenían entusiasmo y que ahora estaban muy emocionados. Así que, ¿qué cantidad eligieron? ¡200! Sí, eso fue lo que dije.

Ahora, ten en mente que ya estábamos promediando 183, y además 20 ó más hombres estarían involucrados en este esfuerzo para aumentar la membresía de la iglesia. Junto con sus esposas y otros miembros que íbamos a contactar, nosotros pensamos que íbamos a tener un domingo fantástico con multitud en solamente dos o tres semanas. Esos hombres se sentaron ahí, incluso con todo su fervor, con la convicción de que sería un Día de Amigos exitoso si 17 personas más de la asistencia regular aparecían. Yo los miré sorprendido y les dije, «¿Oye, no es esa cantidad un poco baja?» «Ah,» respondieron ellos, «asegurémonos de conseguir esta meta primero para que la gente se emocione».

Apunta bajo y pondrás en movimiento el fracaso

Nosotros tuvimos solamente 199 ese domingo. Así es, 199 en ese emocionante día, nunca antes se había visto nada igual! ¿Cuál fue el problema? La meta que se fijó era simplemente tan baja y no había motivación en el establecimiento. ¿Por qué? No era lo suficiente grande para emocionar a la gente y hacer que se movieran. Si 17 de la iglesia trajeron a una persona cada uno ese domingo, entonces en resto de la congregación no tuvo que hacer nada. Lo que hicimos, en efecto, fue que la mayoría de los miembros simplemente observaron quien más estaba haciendo el trabajo.

Una situación similar puede existir si no estás haciendo lo suficiente, o si acaso simplemente esperas que esos que están trabajando para nosotros, o los que se asocian con nosotros, construyan su negocio y su profesión. No funciona de esa manera, y es más, eso suena ridículo, ¿no es así? Claro que sí, una vez que agarramos impulso, otros nos pueden ayudar a llevar la carga, cuando nos duplican. Pero si no somos ejemplos positivos de producción, ¿en qué nos van a duplicar ellos?

En lugar de fijar metas altas, apuntamos demasiado bajo, y por lo tanto, ponemos el fracaso en movimiento. No hubiéramos sido exitosos, en el verdadero sentido de la palabra, aunque nos hubiéramos dado cuenta del objetivo. A decir verdad, mi esposa y yo teníamos tres personas nuevas con nosotros, y otras dos parejas tenían dos cada una. Ahora bien, hagamos los cálculos matemáticos: son siete personas nuevas entre seis reclutadores. Esto significa que si las otras 177 personas habían traído la grandísima cantidad de diez personas nuevas, más o menos, como también quizás algunos de los 183 miembros no hayan asistido ese día. Independientemente de eso, habíamos fracasado. Uno de los ancianos comentó, «¡Qué pena, sólo nos faltó uno! La próxima vez nos irá mejor». Pero ¿sabes qué? Por el tiempo que estuve ahí, la próxima vez nunca llegó.

El verdadero éxito está envuelto en integridad

Escucha con cuidado a tu líder o mentor para que puedas duplicar efectivamente lo que él o ella ha hecho y para llegar donde ellos están. Fija metas que te obliguen a estirarte—apunta alto. A nadie le importa tu éxito tanto como a ti.

Tú vas a ser exitoso y lo vas a saber cuando hayas hecho el trabajo necesario y hayas sudado lo que se necesita para llegar donde quieres estar. Tú sabrás que eres exitoso cuando hayas conseguido lo que querías. Sin embargo, el éxito no es genuino si la persona ha cedido sus valores, se ha conformado con menos, ha mentido o engañado, o ha robado cuando mientras iba ascendiendo.

Si el éxito de alguien no está envuelto en integridad, esa persona ha tomado injustamente ventaja de otros y eso no es éxito real. Él o ella es un fraude y eventualmente se va a descubrir. Además, esa no es manera de vivir—siempre viendo sobre tu hombro esperando nunca ser descubierto.

¿Has escuchado acerca de Carlomagno quien fue enterrado sentado en el trono? Su dedo apuntaba hacia la Biblia que estaba en su regazo—atascado para siempre en Mateo 16:26: «¿De qué le sirve al hombre ganar el mundo entero si pierde su vida?»

Así que, ¿cuáles son algunas características de la gente exitosa? Los maridos y sus mujeres se aman y se apoyan el uno al otro. Los padres que tienen actitud positiva responsables, atentos, que afirman, que animan, que aman, firmes pero que también son justos. Las personas exitosas tienen sus prioridades en orden y no comprometen sus valores o responsabilidades por nada ni por nadie.

Ver las sonrisas

Mantén en perspectiva tu relación espiritual, emocional y física. Sin embargo, énfasis periódico en una o más áreas quizás sea necesario para alcanzar un objetivo mayor, así que las prioridades tienen que ser establecidas como corresponden. Prioriza tus objetivos consultando a tu familia, luego trabajen juntos como equipo para lograrlo.

Cuando alcanzas tus objetivos, no vas a ver destrucción, desastre, o decepción innecesaria. Fue un reto, pero tú trabajaste cuidadosamente durante el proceso y en cada situación con carácter, bondad y confianza. El éxito verdadero se va a reflejar en las sonrisas en aquellos que has influenciado y ayudado. Ellos van a ser más exitosos y felices porque te atreviste a fijar metas basadas en la integridad y trabajaste hasta lograrlas.

El éxito verdadero será reflejado en las sonrisas de aquellos a quienes has influenciado y ayudado. Ellos van a ser más exitosos y felices porque te atreviste a fijar metas basadas en la integridad y trabajaste hasta que lo lograste.

Los límites solamente son productos de la imaginación. Expande tus ideas para incluir el logro de tus sueños. Persíguelo sin dejar que los las limitaciones de las ideas de otros te detengan. Fuiste diseñado para la grandeza.

Capítulo 11

No hay que limitarse por lo que otros piensan

En lugar de seguir a la multitud sigue tus sueños.
¡Atrévete a hacer cosas grandes!

Él medía cinco pies con seis pulgadas y pesaba 132 libras. Víctima de polio, su brazo derecho era pequeño y no se había desarrollado. Obviamente, su estatura no era amenazante, pero sin embargo, era igual que otros cuando se trataba de autodefensa.

Mucha gente subestimaba su habilidad de competir, solamente para después sufrir las consecuencias. Él se rehusaba a ser tratado de manera diferente a causa de la incapacidad que algunos percibían. Cuando tenía que lanzar 100 golpes alternando sus brazos, él lanzaba 100 con su brazo izquierdo. Cuando nosotros hacíamos cierta cantidad de bloques, él siempre hacía el doble.

Al inicio lo conocí cuando me inscribí para tomar su clase de taekwondo. Yo también me pregunté qué podría hacer un hombre tan pequeño en una situación de defensa-propia y quien solamente le funcionaba un brazo. Después de ver su técnica, me di cuenta que había encontrado algo especial en él. Cuando lo vi pelear con alguien de un rango superior, él demostró la reputación que tenía de un nivel excelente. No era alguien que presumía, él dejaba que su trabajo hablara por él.

Nadie podía detenerlo

Cinta Negra, para entonces la revista más importante de artes marciales, escribió un artículo sobre él. Algo que dijo él realmente me llamó la atención: «Lo único que tengo que hacer para motivar una clase es parame ahí en el salón. ¿Quién me va a decir que no puede hacer algo cuando ven mi discapacidad?» Él no permitió que otros pusieran límites ni usara su problema físico como una excusa—una gran ejemplo para todos nosotros.

La actitud negativa de otras personas acerca de nuestro potencial es irrelevante. Después de todo, cada quien tiene derecho a tener su opinión, y a decir verdad, es algo que no nos importa. Así que en lugar de permitir que las opiniones negativas nos detengan, usémosla como combustible para alimentar nuestro motor de éxito.

Recuerda, a nadie le importan tus sueños tanto como a ti, lo cual pone la responsabilidad sobre ti para lograrlos. ¿Qué hubiera pasado si el maestro de taekwondo hubiera dejado que otros le dictaran lo que él podía o no hacer? ¿Qué hubiera pasado si él hubiera sentido pena por sí mismo?

Como lo mencioné, el trabajo admirable de mi maestro hablaba por él con mucha fuerza. Yo descubrí esto a las malas. Cuando yo logré mi primer nivel de cinta negra, él me preguntó si yo conocía el proceso de iniciación. Yo le dije que no sabía. Él dijo: «Bueno, el momento perfecto es ahora». «¡Sí, señor!», contesté. «¿Qué desea usted que yo haga?»

Él me pidió que fuera al medio del salón de entrenamiento (lo que llaman Dojo) y nos inclinamos el uno hacia el otro en señal de respeto. Nosotros armamos un par de rounds cortos por unos pocos minutos y todo salió bastante bien. Él me preguntó si lo estaba disfrutando y yo contesté que sí. Yo no le iba a decir a un Cinta Negra de Cuarto Nivel que no me gustaba lo que estábamos haciendo. Luego preguntó, con una gran sonrisa, si yo estaba listo para la iniciación. Aunque yo tenía miedo yo dije que sí. Yo sabía que a los ganadores les encantan los retos y quieren ganar.

A mí nunca me habían golpeado tantas veces, de tantas diferentes maneras y con tanta rapidez. Con el mayor cuidado y control, sin embargo, él no me lastimó. Cuando terminamos él me dijo: «Gracias por luchar estos cortos rounds conmigo». Nunca subestimes el potencial de los demás o permitas que otros te hagan creer que no puedes lograr lo que quieres lograr en la vida. Si yo hubiera sido moldeado por lo que otros pensaban, yo no tendría mi propia escuela con éxito. En lugar de eso, yo estaría trabajando para alguien más y ayudándolos a ganar dinero que yo quiero que esté en mi cuenta bancaria».

Somos lo que creemos—lo que otros dicen es solamente habladuría

A mí casi siempre me importaba lo que otros pensaban de mí y de lo que yo hacía, aunque no lo admitía.

Pero la verdad es que, la gente que tú piensas que está pensando en ti, posiblemente no está pensando en ti. Después de todo, ellos tienen sus propios problemas y preocupaciones con las que tienen que lidiar. Al inicio, esto puede ser decepcionante, pero a la larga, cuando piensas detenidamente, te libera.

Así que las buenas noticias son, ve y haz lo que tengas que hacer. No importando, sin embargo, siempre sé cortés, amable y considerado con otros. Pero, si la gente nos falta el respeto, tratando de obstaculizar nuestros sueños, y poner nuestro potencial abajo, eso es inaceptable. Es ahí cuando tienes que separarte.

A mí me han preguntado en varias ocasiones si mi sueño siempre fue ser predicador. Yo me río dentro de mí cada vez que contesto, «Cuando estaba creciendo mi única religión era ser un pagano. Ser un maestro nunca fue mi meta. Ir al cielo fue y es ahora mi única meta, y lo ha sido por los últimos treinta-y-pico de años. Mi vocación de predicar se desarrolló en la ruta cuando iba hacia mi meta.»

Muchos comparten objetivos similares. No importa cual sea tu objetivo final, la vida es un viaje con giros, vueltas y túmulos. Nuestro viaje hacia el final de nuestro objetivo contiene varios objetivos intermedios a lo largo del viaje. De hecho, un objetivo puede ser alcanzado sin lograr otros objetivos. Aferrarse y mantenerse fijo es esencial. La gente que se da por vencida es mucha y por eso son llamadas «masas». Las personas que se dan por vencidas de ellas mismas, están por todos lados. Es triste decirlo pero muchos llevan vidas de angustiada desesperación.

Yo siempre he tenido personas que quieren ponerme límites. Tal vez ellos pensaron que algo parecía imposible para ellos, de la misma manera eso era imposible para mí también. Tal vez ellos estaban proyectando su propia falta de confianza en mí. Aquellos que dicen que no tienen duda en lo absoluto de tu capacidad—pero que simplemente que el sueño parece inalcanzable—lo que ellos están realmente diciendo es que no creen que ellos puedan hacerlo, y por lo tanto tú tampoco.

Esto no tiene nada que ve con tu potencial—es simplemente su propia inseguridad. Si eliges creer cuando ellos básicamente están tirando su programación de negatividad acumulada sobre ti, entonces estás permitiendo los límites de otros que fueron impuestos sobre ellos, también sean impuestos sobre ti. Y no solamente eso, si no que no llegarás lejos porque ambos estarán en un estado de no-hacer-nada.

Si lo creas o no…

Como ya sabes, la oportunidad de que alguien toque a tu puerta y te entregue una fortuna es virtualmente cero. Todos conocemos a varias personas. No puedo decir con cuántas me he topado a lo largo de los años. Pero sin embargo, yo solamente conozco una pocas que han heredado una fortuna, pero nadie se ha ganado una. ¿Y tú? Ninguna de esas personas que anuncien sorteos como esos de Publishers Clearinghouse han estado en mi vecindario. Pero, la puerta de la oportunidad está ahí para todos los que quieran tocar y pasar a través de ésta. Yo conozco varias personas que son independientemente ricas. ¿Cómo llegaron a serlo? Ellos se reusaron a dejar que otros les impusieran límites. Ellos también se dieron cuenta que todos tenemos que tomar ventaja de la oportunidad que quizás ya tienen frente a ellos y poner todo nuestro esfuerzo.

Su nombre es Margaret Louise Brickey. Ella asiste a la iglesia donde yo predico y es una inspiración para todo aquel que quiere lograr algo. Ya a edad avanzada, ella comenzó a lograr su sueño de escribir libros para niños. Ella tenía un deseo ardiente de compartir su idea de la historia acerca de un conejito llamado Bolsita. Él nació con una bolsa y tenía una oreja más grande que la otra. Él no sabía cuál era su propósito en la vida hasta que el conejito de Pascua no pudo hacer su ronda un año. Bolsita se ofreció solamente para descubrir que él mismo era un verdadero conejito de Pascua.

Ella llevó su historia a un editor poblano quien hizo un prototipo del libro, pero, por decirlo así, no era muy atractivo que se diga. Louise, como la llamamos nosotros, no fue disuadida ni una pizca por lo que otros pensaron. Ella pudo permitir que esto fuera el fin de su sueño o seguir creyendo que había algo mejor para ella. La casa editora quería cambiar varias cosas, pero que ella decidió ir a otro lado. Tomó ocho años para que finalmente pasara algo, pero sucedió, y fue algo grande.

Louise y su esposo tenían una granja que poco a poco se estaba yendo abajo. Ellos necesitaban ayuda o de lo contrario lo iban a perder todo. Y de pronto, todo su esfuerzo y trabajo arduo dio resultado. Su libro fue visto por alguien que creyó en su talento y le pagó el boleto para que viajara a la costa este donde visitó varios centros comerciales para leer su libro a niños. Ella se convirtió en un éxito instantáneo y vendió los derechos de su libro sobre Bolsita por una cantidad cercana al cuarto millón de dólares. Salvaron la granja y ella y yo estamos trabajando juntos en la creación de libros para niños. Ahora, a la edad de 70 años ella está demostrando que no es una persona con solamente un sueño. Para muchos, si alguien duda de ellos, regresan gateando a su concha—sintiéndose como tontos y deseando algo más de lo que tienen, como si no lo merecieran.

Independientemente de cualquier intento que hagas, tan seguro como sale el sol todos los días, alguien va a dudar de que si lo puedes lograr. ¿Y qué si en el peor de los casos, al final, no alcanzas el objetivo? Bueno, pues aún así ya intentaste lograr tu sueño, lo cual, en sí fue una aventura más allá de lo que la mayoría de la gente hace en toda su vida. Siempre y cuando seas capaz, siempre tendrás otra oportunidad. Sigue tus sueños en lugar de seguir a la multitud. ¡Atrévete a hacer cosas grandes!

¿Cuánto de tiempo alguien se sienta en la misma trampa, en el mismo lugar, en el mismo dolor, haciendo lo mismo y renegando por la misma situación? Cada vez que veas a alguien que haya alcanzado su objetivo, tú nunca vas a encontrar a esa persona atrapada en una trampa de oso.

Capítulo 12

¿Alguien quiere una «trampa de oso»?

Aquellos a quienes les importamos siempre nos van a animar a que salgamos de alguna trampa en la que quizás estemos atrapados.

Su nombre era Walter, pero de cariño le llamábamos «Cob». Él es el tipo de persona que siempre se las va a cobrar si tú has hecho algo que a él no le gusta. Y créeme, él es la última persona que tú quisieras que estuviera detrás de ti, pues tiene un apodo, el cual es una abreviatura que significa «más fuerte que una mazorca de maíz», por algo que le pasó cuando era pequeño.

El joven Cob ayudaba a criar cabras en la ciudad de Hog Jaw, Arkansas. Un día, un hombre que era conocido por ser cliente rudo, vino a comprar un macho cabrío de Cob. El precio era de 50 centavos. Cob dijo, «El precio es de cincuenta centavos». El hombre replicó, «El valor de un macho cabrío es de veinticinco centavos, eso es todo lo que yo voy a pagar». Pero meterse con el joven llamado Cob fue algo de lo cual el hombre se arrepentiría toda la vida.

El hombre conducía una camioneta vieja, con el asiento del frente desgastado y había un agujero en el asiento del conductor que era lo suficientemente grande que se podía mirar el resorte. Para arreglárselas, él ponía una colcha vieja y andrajosa sobre el agujero. Después de que el hombre tuvo el atrevimiento de agarrar el macho cabrío y ponerlo en la parte de atrás de su camioneta y luego querer forzar a Cob para que le diera el cabrón a mitad de precio, él se fue y entró a una ferretería. Cob salió furioso de su cobertizo y tomó una trampa para osos. Mientras el hombre estaba en la ferretería, Cob en silencio y cuidadosamente levantó la colcha y puso la trampa de manera que no se podía ver. Al observar y ver que no venía nadie, cuidadosamente puso la colcha de nuevo y caminó una corta distancia.

Cob se paró a una distancia donde podía ver la camioneta, riéndose consigo mismo, esperando pacientemente lo inevitable. El hombre mayor salió de la ferretería con el siempre presente ceño fruncido, el cual sería pronto reemplazado por asombro y aullido. Cob contó después, «Sus gritos se escucharon hasta en los países vecinos». Ahora ya sabes de donde se originó el apodo de Cob. ¿Alguien quiere una «trampa de oso»? Yo tampoco.

Sin atajos

A veces es fácil caer en trampas. Al igual que el hombre malo de la historia, nosotros podemos se nuestro peor enemigo. Algunas personas empuja, cavan, y tratan de intimidar a otros mientras están ascendiendo. El deseo está ahí, pero el enfoque malintencionado los mete en problemas. Ellos piensan que pueden ser más listos que la oposición o situación—para después simplemente ser mordidos por la realidad.

No existe ningún atajo para el éxito—es un proceso de construcción—el cual, desafortunadamente, muchos nunca lo aprenden. Y también, la oferta y la demanda siempre van a estar presentes así como también esta fórmula para el éxito: Producto + Prioridades + Positivismo + Perseverancia + Rendimiento + Día de pago = Éxito financiero. ¿Estás usando esta fórmula o hace falta algo?

Evitando la trampa de oso

¿Cómo podemos evitar tener un encuentro cercano con un tener un encuentro cercano con una trampa de «oso»? solamente porque dice algo, no significa que tenemos que creerlo. La elección es nuestra. Hazte tú mismo estas cuatro preguntas si alguien dice algo negativo de ti:

1. ¿Es verdad?

2. ¿Es verdad para todos?

3. Si es verdad, ¿por qué no lo vi?

4. Si es verdad, ¿cómo puedo arreglarlo o compensarlo?

Por ejemplo, un amigo el trabajo quizás se entere que estás construyendo un negocio en tu tiempo libre. Ella o él quizás te diga que ser financieramente libre es algo descabellado—que eres solamente un soñador que está perdiendo su tiempo.

Analicemos las cuatro preguntas:

1.- ¿Es verdad? ¡No! Tú decides lo que es inverosímil para la gente que, ya sea que no tiene un sueño, o no están haciendo lo necesario para hacerlo realidad. Tú sabes que hay gente ha comenzado su negocio con mucho menos de lo que tú tienes y con más retos de los que tienes tú. Ellos se jubilaron del trabajo antes y vivieron un estilo de vida que la mayoría solamente pueden imaginar. Sí, eres un soñador, pero estás comprometido a hacer que esos sueños se hagan realidad.

2.- ¿Todos creen que es la verdad? Lo inverosímil ciertamente no es verdad. Tienes amigos en el negocio que te animan a seguir exactamente el estilo de vida que quieres. En lugar de callarse cuando les compartes tus sueños, ellos te animan. Ellos también te recomiendan audios, DVD's, libros y diferentes funciones a las que puedes asistir para que mantengas la actitud positiva y te mantengas en el camino correcto.

3.- Si es verdad, ¿porqué tú no lo viste? Lo inverosímil no es verdad, pero nosotros hablamos de eso porque muchas personas que se están embarcando a una nueva y emocionante aventura van a escuchar esta excusa. Tú estás en movimiento y aquel que es llamado tu amigo no. Él o ella quizás esté criticando lo que tú estás haciendo porque está celoso. Probablemente estás rodeado de gente que está yendo hacia delante y es optimista por su nuevo y brillante futuro. Tu amigo podría unirse a ti en lugar de criticarte, pero quizás tenga miedo de hacerlo. Tal vez alguna persona negativa está tratando de poner límites para él o ella, o su propio diálogo interior de duda de sí mismo lo retiene.

4.- Si es verdad, ¿cómo puedo arreglarlo o compensarlo? De nuevo, aunque lo inverosímil no es verdad, todos lo abordamos. Simplemente demuéstrale a él o ella que está equivocado abriéndote camino a la libertad financiera. Es posible que esto ayude al que duda. Si no funciona, de cualquier manera, mantente animado. Para donde te diriges, tendrás suficientes amigos quienes te van a entender y apoyar.

Cuestiona la validez de cualquier actividad que se te presente en el camino. No la uses como excusa para no hacer lo que necesitas hacer para salid adelante. Claro, habrá gente que no cree en ti o en lo que estás haciendo, pero eso no quiere decir que esté en lo correcto. Esos a quienes realmente le importas te van a animar a salir de cualquier trampa en la que quizás estés. Entre más rápido averigües quienes son estas personas, y lo importante que son para ti, mejor para ti.

Lo mismo de siempre, lo mismo de siempre…o liberado de la «trampa de oso»

Algunos ponen a las personas en una o dos categorías: los que tienen y los que no tienen. ¿Te has dado cuenta que hay algunos que están dispuestos a salir y otros que no—esos que están dispuestos a quedarse en la «trampa de oso» toda la vida y existen aquellos que no están contentos hasta que se liberan de ésta? Una «trampa de oso» es todo aquello que puede ser usado como excusa para no salir nunca, levantarse y seguir adelante.

Ahora me puedo imaginar a algunos de ustedes diciendo:

«Bien Jack sentarse en la "trampa del oso" es doloroso y una buena razón para gritar y quejarse». No puedo estar más de acuerdo. ¿Pero por cuánto tiempo alguien se puede quedar sentado en la misma trampa, en el mismo lugar, en la misma situación dolorosa, haciendo lo mismo y quejándose de la misma situación siempre?

Recuerda, por muy tentador que parezca, la argucia para hacerse rico rápidamente no es la respuesta. El éxito requiere trabajo con dedicación y el desarrollo de relaciones. El hombre de la historia que engañó al niño por veinticinco centavos estaba tomando el camino «fácil» para beneficio económico, y todos en el país lo supieron en un corto período de tiempo. No tomó mucho tiempo para que él pagara sentándose en la trampa del oso, ¿no es así? Su falta de integridad probablemente le costó a él un nuevo pantalón y tal vez un par de semanas de dolor al sentarse.

Yo tengo un amigo que ha estado entrando y saliendo de cada oportunidad inimaginable que se le ha presentado. El comienza simpre muy emocionado, pero esa emoción se esfuma después de un par de meses, y luego, de manera inevitable se cambia a hacer otra cosa. Este es su patrón de conducta hasta el día de hoy. Sigue buscando la llamada «oportunidad»—una solución rápida.

Algunas personas creen que el césped es más verde del otro lado del cerco, pero cuando se acercan, comienzan a ver hierba mala. Cada vez que veas a alguien que ha alcanzado su objetivo, tú nunca vas a encontrar a esa persona atrapada en la «trampa de oso».

¿Alguien quiere una «trampa de oso»?

La mayoría de las personas nunca van a alcanzar libertad financiera trabajando de 9 a 5. Pero con un buen plan, un deseo ardiente, un enfoque y disciplina para invertir su tiempo y energía más allá del trabajo, ellos pueden hacer que esto suceda.

Capítulo 13

El hombre de la basura

Planea tu trabajo y trabaja tu plan.

La gente siempre se burlaba de «Cotton» quien vivía unas milla de distancia de la ciudad Creek Road. Tú no podías pasar y no ver su casa; estaba casi deteriorada por completo. La ventanas estaban derribadas, él no tenía electricidad, y animales vagaban dentro de ésta.

Cotton nunca se casó y todo lo que sabíamos era que tenía algunos familiares cercanos. Yo lo vi en varias ocasiones porque él vivía frente de donde mi abuela. Por lo que podemos recordar, Cotton era quien recogía la basura. Cada mañana, él se levantaba temprano y tomaba su camioneta cubierta por toda la ciudad haciendo las paradas necesarias para un día en particular. Algunos se compadecían de él y decían «pobre hombre», y no se podían imaginar de la manera que él vivía.

Invierte en tu sueño

La verdad finalmente salió a la luz que Cotton había invertido de manera sabia. Él compró varias hectáreas de terreno y la ciudad alquiló parte de ese terreno para desechar la basura. Esto, combinado con otros rumores de inversiones, había promocionado a Cotton como una de las personas más ricas de la ciudad. Se dice que, cuando murió, sus propiedades tenían un valor de un poco más de un millón de dólares. No estaba tan mal para un hombre que tiraba basura. Eso solamente nos demuestra que no se puede hablar del valor de una persona simplemente por su apariencia o lo que hace para vivir.

Ahora yo sé lo que estás pensando. Yo, al igual que tú, me he preguntado porqué un hombre con tanta riqueza escogió vivir de la manera que vivió Cotton. Él era de así, lo tomas o lo dejas. Su meta era ser el mejor colector de basura en el país, y él lo logró. Cuando iba de camino al banco él podía reírse de todos sus críticos que hablaban de él a sus espaldas.

Nunca te rías del sueño de otra persona

Llegar a ser el mejor recolector de basura de la ciudad quizás no sea la meta de tu vida, pero sí era la de Cotton—y él llego a ser lo suficientemente exitoso haciéndolo. Su historia es equivalente a un sermón que yo prediqué un día domingo en la mañana acerca de metas y éxitos. Yo estaba haciéndome el chistoso al decirle a la congregación lo que siempre les decía a mis hijas: que no quería visitarlas a su lugar de trabajo en un futuro y que ellas me preguntaran si quisieran papas fritas con mi hamburguesa. Compartir eso me parecía una buena idea en ese momento.

Sin embargo, después del servicio un hombre se me acercó y me dijo: «Sabe una cosa, hacer hamburguesas y vender papas fritas no es una manera mala de ganarse la vida». Yo me había olvidado de él por completo. Era dueño de varios restaurantes en varias ciudades y era muy rico. Su meta era hacer hamburguesas y papas fritas y ser el mejor en ese rubro, y él tuvo éxito gracias a eso.

Algo que una persona rechaza quizás sea el vehículo para la fortuna de otro. La gente quizás se ría de tu participación en una nueva aventura de negocios o estilo de vida y rechace tu plan por completo. Pero tarde o temprano, quizás tú te rías de su escepticismo—cuando vayas de camino al banco. El dicho va así: «El que ríe de último ríe mejor».

Deja de contarles

Alguien me dijo una vez, «Yo me frustro mucho. Cada vez que le digo a mi familia de algo que he hecho para construir mi negocio o mejorar mi vida, ellos se ríen me ponen a mí y a mi negocio abajo. ¿Qué me sugiere que haga?». Yo le dije, «Deja de decirle a tu familia». Fue como si le hubiera unido un alambra eléctrico a su cara y hubiera conmocionada todo su ser interior. Sus ojos y su boca estaba bien abiertos, y él respiró profundamente. Finalmente él lo entendió. Está bien decirles solamente a las personas que les quieres decir—esos de quienes estás lo suficientemente seguro que no te van a poner a tu y a tu negocio abajo. ¿Por qué decirle a aquellos que son criticones, miopes, y que no te van a apoyar? Eso no tiene sentido, es solamente buscarse problemas.

Nunca dejes que nadie ponga límites aceptando la actitud negativa de él o ella. Ellos pueden tratar, pero realmente no pueden poner límites sin tu permiso. Además, es tú tiempo, tu energía, y tus recursos lo que estás invirtiendo para hacer que tu meta se vuelva realidad. Después de todo, ellos no son quienes pagan tus facturas, ¿o sí? Tú solamente tienes una vida para vivirla y su futuro comienza en el siguiente instante. ¿Por qué te tienes que conformar con lo que otros piensan que es lo mejor para tu vida? ¡No tiene que ser de esa manera! Entre mas rápido te des cuenta que, que estarás mejor.

Las siete Ps del éxito

Aquí tienes siete pasos para ser exitoso en cualquier cosa que quieras hacer:

    1.- Planea tu plan.

2.- Prepara tu plan.

3.- Promete que vas a seguir adelante con tu plan. (Si tú no estás comprometido con tu plan, nadie más lo estará.)

4.- Promueve tu plan con otros con quien te puedas relacionar.

5.- Produce tu plan para que otros puedan ver los resultados y los puedan duplicar.

6.- Perfecciona tu plan cuando sea necesario en conjunto con tu líder o mentor.

7.- Perpetúa tu plan al conseguir una meta tras otra— siempre soñando en grande.

Libertad financiera

Cotton, el hombre de la basura, siguió un plan que lo convirtió en millonario. No era mi plan, y probablemente tampoco el tuyo. ¿Cuál era este plan increíble? Pues bien, era algo como esto: «Si no estás ganando dinero mientras estás durmiendo, entonces no estás realmente ganando dinero». Suena grandioso, pero, ¿qué significa? Poniéndolo de una manera simple, significa que la mayoría de las personas nunca van a alcanzar la libertad financiera trabajando de ocho a cinco. Con un plan grandioso, un deseo ardiente, y enfoque y disciplina para invertir tiempo y energía más allá de su trabajo, ellos pueden hacer que esto sea realidad.

Es asombroso lo rápido que podemos cambiar nuestra actitud acerca de alguien, ¿no es así? Cotton simplemente hacía lo que quería, iba por la vida silbando y cantando todo el tiempo, y nosotros nos burlaríamos de esta hombre «pobre». Después de su muerte, nosotros finalmente nos dimos cuenta porqué él era tan feliz.

Este hombre, que escogió ser el mejor hombre de la basura del país, había llegado a tener éxito honestamente. Lo cierto es que, durante ese tiempo, cuando yo entraba al banco, nadie me llamaba por mi nombre. Pero sí llamaban a Cotton por su nombre. Cotton era el millonario que recogía la basura, pero yo era simplemente el que recogía la basura. Él se aventuró y trabajó fuerte. Yo era ridiculizado y no hacía nada. Como lo dije antes, él persiguió su objetivo y yo no perseguía nada. Ambos le dimos al blanco.

¿Qué oportunidad puedes tener para trabajar con otros y de esa manera moverte hacia delante y convertir tu sueño en realidad?

Capítulo 14

Arroja la puerta de la oportunidad de par en par

¿Te vas a quedar donde estás y simplemente sobrevivir, o vas a aventurar y luchar por tus sueños?

Cuántas veces has visto algo que está construyendo una fortuna para otras persona y has pensado, «Yo pude haber hecho eso». El inventor de las Post-it-Notes llegó a ser muy rico. Recuerdas la locura de Pet Rock, la Hula Hoop, Slinky y Fresbee? Al igual que yo, tú quizás nunca hayas inventado nada. Está bien. Afortunadamente, no tenemos que ser innovadores para ser exitosos.

Creyendo, alcanzando y estirando

Muchas personas son influenciadas negativamente por otras y llegan a creer que alcanzar y estirarse va más allá de donde están es un ejercicio inútil. Afortunadamente, es fácil identificar a esas personas que hablan por hablar. Ellos hablan detrás del escena acerca de lo que ellos podrían y deberían hacer o supuestamente deberían de estar haciendo, pero en realidad ellos nunca hacen nada, o ciertamente no hacen mucho. Ellos han aceptado los límites que otros han puesto y los usan como excusa para nunca ir más allá de donde deberían de ir. Ellos se quejan mucho, pero raramente hacen algo constructivo para remediar la situación.

Los que hablan por hablar dicen sus propias opiniones en voz alta, sonríen de manera satisfactoria más tiempo, y se quedan para siempre donde están—¡o hasta que son echados! Ellos hablan con gran valentía, y puede ser bastante convincentes, pero a decir verdad, ellos quizás tengan demasiado miedo de exponerse y convertirse en lo mejor que pueden llegar a ser. Ellos se dejan desaminar por las noticias negativas y a menudo no hacen ningún esfuerzo para cambiar.

¡Sal fuera del puerto!

Tomás Equinas dijo, «Si el primer objetivo de un capitán fuera conservar su nave, él podría mantenerla en puerto para siempre». Esto me despertó. Yo pude haber escogido quedarme donde estaba y simplemente sobrevivir, o aventurarme para alcanzar mis sueños. Me meta era escribir. Cualquier riqueza que pueda resultar como resultado de poner mi corazón y mi alma para vivir mi sueño son simplemente las guindas en el pastel. Sin embargo, yo pude haberme quedado en el «puerto», y hubiera estado bien en cuanto a comodidad y estabilidad.

Esto también puede ser verdad en cuanto a ti. Pero lo que más me molestaba era pensar en llegar a ser viejo y preguntarme, «¿Y si hubiera hecho…?» «¿Y qué si hubiera escrito?» «¿Y qué si tuviera algo que decir que hiciera la diferencia en las vidas de las personas?» «¿Y qué si al escribir, pudiera hacer la diferencia en mi vida y en la vida de mi familia?». Obviamente era hora de salir del puerto.

¿Y qué tal tú? ¿No es un buen momento para salirte del puerto?

Todos somos importantes

Alguien me preguntó si alguna vez había tenido una idea original. Yo tuve que admitir que no podía pensar ni siquiera en una. Fue ahí cuando me aseguró que esto no iba a determinar si yo era o no exitoso. Vez, algunos son pensadores; otros son inventores; algunos con consejeros;

algunos son organizadores/que construyen negocios u otra clase de líderes. Todos somos importantes. Incluso el integrante más débil es importante en cualquier esfuerzo que hace el grupo. Seguro, algunas personas tienen más iniciativa y son más creatividad que otras, pero en realidad nadie es «autocreado». Nadie llega a ser exitoso sin tener asociación con otra gente.

El invento de Post-it-Notes hizo a alguien muy rico. Pero eso no sucedió sin que otros miembros del equipo hicieran su parte. Alguien tuvo que pensar, inventar, promocionar, manufacturar, y hacerla llegar al cliente. Sucede lo mismo con tu sueño. Sé creativo en la manera que puedes aprovechar tu tiempo, energía, y los recursos para hacerlo realidad. ¿Qué oportunidad tienes en tus manos para trabajar con otros y avanzar hacia delante para hacer tu sueño realidad? Promociona tu sueños a ti mismo con imágenes y palabras que puedas pegar en un lugar donde las puedas ver con frecuencia. Comienza a trabajar, haz lo que sea necesario, paso por paso, para hacerlo realidad. Si ya tienes un sistema de éxito en tu industria, síguelo con dedicación, compártelo con otros, o ayúdalos a que hagan lo mismo. Conviértete en un líder en tu profesión.

¡Alguien se va a dar cuenta!

Él siempre quiso jugar futbol en la universidad. Para cuando tenía catorce años, medía seis pies con una pulgada, pero pesaba solamente 133 libras. Si se volvía hacia los lados y sacaba la lengua, parecía un zíper. Sin embargo, él le dijo a algunos de sus amigos su sueño, y ellos lo compartieron con otros.

In día, todos comenzaron a burlarse de él; se reían a carcajadas del chico flacucho que se atrevió a compartir su sueño con aquellos que no son soñadores. Pero cuando él estaba en su último año de secundaria, pesaba 155 libras y podía lanzar la pelota 65 yardas. El entrenador decía que nunca antes había visto un brazo como el de éste entre los chico de la escuela secundaria.

Un día, los compañeros negativos del equipo que se habían burlado de él anteriormente, lo inmovilizaron en el cuarto de los lockers y le cortaron el cabello, diciendo que estaba muy largo. Independientemente de eso, este muchacho aún flacucho, llevó al equipo a un posición respetable en esa temporada. Él mantuvo su sueño, pero esta vez lo mantuvo para sí mismo.

Después de la graduación, y sin ningún ofrecimiento universitario, él se fue a la Infantería de Marina. Mientras estaba jugando futbol, él fue observado por un intendente que nunca se perdió ni un juego. El intendente le preguntó al joven muchacho si alguna vez había sido sometido a una prueba para jugar a nivel universitario. Aún, manteniendo su sueño para sí mismo, él respondió suavemente «pasó por mi mente hace mucho tiempo». El oficial le dijo que podría conseguir que le dieran una prueba en su alma mater, pero tristemente, nunca sucedió.

Promociónate a ti mismo

Es posible que pienses que es un final triste de la historia, cuando alguien tiene potencial pero nunca podrá ponerlo en práctica. Pero, espera. Después de salir de la Infantería de Marina e ir de regreso a su casa, él y su hermano asistieron a campo de juego en el lugar donde vivían a ver una práctica de fútbol. El entrenador les preguntó a los muchachos si querían vestirse de casaca y participar como ofensiva del segundo equipo, contra la defensa del primer equipo. Ellos aceptaron con gusto la oportunidad.

En esto consistía las reglas: los hermanos tendrían posesión de la pelota primeramente, y, si ellos anotaban, ellos mantendrían la pelota. Pero si no anotaban, ellos tendrían que jugar como defensa contra la ofensa del primer equipo.

Pues bien, el muchacho que antes era flaco, jugó como mariscal de campo mientras que su hermano jugó como corredor. Esos jugadores de segunda nunca se habían divertido como como en ese día, llevando al equipo inferior a un marcador impresionante de 56-0 sobre la defensa del primero. El entrenador estaba tan impresionado con el mariscal de campo, acabado de salir de los Infantes de Marina, que se puso en contactó con la universidad local y le consiguió una beca completa para que jugara futbol.

El muchacho no era un gran pensador, ni tampoco inventó el futbol. Él simplemente se había promovido a sí mismo frente a la gente que lo podía ver en acción. La demostración de sus habilidades y destrezas hizo su sueño realidad. Si le hubiera dejado que alguien interceptara su sueño y se hubiera dado por vencido, él siempre se hubiera preguntado qué hubiera pasado. ¡Ese joven mariscal de campo fui yo!

El anterior anfitrión por mucho tiempo del programa popular *The Tonight Show*, Johnny Carson, estaba listo para abrir la puerta de la oportunidad. En 1949, él se graduó de la Universidad de Nebraska y tomó un trabajo en una estación radial de la localidad. Más adelante, él fue contratado en 1951 por KNXT, la estación de Los Ángeles. Esta fue una gran oportunidad para su trabajo. *Carson's Cellar*, el cual estuvo en el aire desde 1951 a 1953, era el favorito del muy conocido cómico Red Skeleton. En 1954, Skeleton contrató a Carson para que se uniera a su programa como escritor. Cuando él se noqueó a sí mismo y quedó inconsciente una hora antes de que la transmisión en vivo empezara, fue Johnny quien tomó su lugar. John William Carson fue de ser «El Gran Carsoni», haciendo trucos mágicos a la edad de 14 años, a ser un icono de la televisión. El señor Carson empujó la puerta de la oportunidad y la abrió de par en par y entró directamente a reclamar su sueño.

Hay una puerta de la oportunidad frente a ti ahora mismo. Ábrela por completo y entra.

Ninguna excusa es aceptable cuando se trata de lograr tu sueño. ¡Ninguna excusa te va a ayudar a romper el miedo y lograrlo!

Capítulo 15

¿Has sentido realmente miedo alguna vez?

Nunca vivas con temor y siempre recuerda que tu sueño es demasiado grande para que te lo pierdas.

Era el año de 1977 y me pidieron que fuera a Slidell, Luisiana, para la prueba de un puesto de trabajo para predicar que estaba vacante. Después de tener el privilegio de enseñar y predicar, así como también asistir el convivio del almuerzo, los ancianos dijeron que querían reunirse conmigo después del servicio.

Eran como las 11 de la noche cuando mi esposa y yo salimos de la iglesia esa noche. De camino a casa, decidimos pasar a un mini mercado para comprar golosinas. Vickey se quedó en el automóvil mientras yo entré rapidito al mini mercado. Mientras me acercaba al edificio, yo vi a un hombre grande y musculoso sentado en la banca de afuera. Él estaba discutiendo con la mujer que estaba a su lado, quien parecía ser su novia. Él mi miró detenidamente mientras yo le sonreí y entré a comprar las golosinas.

Enfrentando el temor y haciéndolo de todos modos

Cuando estaba saliendo de la tienda, vi que la pareja que

estaba en la banca cuando yo entré, ahora estaba parada, discutiendo. Yo miré asombrado—era el hombre más grande que yo había visto en mi vida. Bajo su mano izquierda, él tenía un paquete de seis botellas de su bebida favorita, y no era bebida gaseosa. Era obvio que estaba ebrio. Tan pronto como yo me salí por la puerta, él frunció el ceño, levantó su largo y poderoso brazo, y señaló con el dedo hacia mí. Luego dijo estas palabras que nunca se me olvidarán: «Cariño, creo que puedo azotar a este hombre».

Yo seguía sonriendo, inconsciente de que él estaba hablando de mí. Yo vi a mi alrededor para ver con quién se estaba preparando este hombre para pelear. Asustado, me di cuenta que yo era el único que estaba parado ahí. Luego comenzó a lanzarse hacia mí. Claro, yo lo pude haberle golpeado con la bolsa de compras, pero hubiera arruinado mi deliciosas golosinas.

Pero de pronto, la novia se puso frente a él y le dijo algo que sonó como música a mis oídos: «Cariño, no tienes que probarme nada». «Está bien», dijo él, ablandando su semblante y tropezando un par de pasos hacia atrás. «Pero tú sabes que pude haberme encargado de él.» Ella asintió con la cabeza.

Desde el automóvil, mi esposa había estado observando los eventos inesperados. Yo la vi y sonreí tímidamente mientras me introducía hacia la seguridad del automóvil. Ella no dijo ni una sola palabra; yo me senté, abroché el cinturón de seguridad y arranqué el carro. Justo antes de salir del estacionamiento de la tienda yo paré el auto y le dije a mi esposa, «Cariño, tú sabes que yo pude haberme encargado de él», ella simplemente sonrío, poniendo su mejor esfuerzo para no carcajearse y me dijo, «¡Ya, vámonos, maneja!»

El temor es solamente una excusa

Muchas excusas son el resultado del temor. Yo sigo mencionando la palabra temor porque tenemos que poner el temor en perspectiva. Una cosa es tener temor de un gigante del mini mercado, pero tener temor de las cosas que han sido manufacturadas en la mente es completamente diferente.

Por ejemplo, ¿alguna vez has hablado con una persona celosa que proyecta cada escenario negativo de sus experiencias pasadas al noviazgo o su relación matrimonial? Esto es como alguien que predice el fracaso y pone excusas constantemente por no enfocarse y trabajar hacia un objetivo. Como lo dijo un muchacho que estaba a punto de cumplir 21 años, «¡Mi padre me dijo que si yo recibiera un dólar por cada persona que se eliminó a sí misma de ser exitosa, yo me podría retirar en mi cumpleaños!»

Trata cualquier temor que tengas compartiéndolo con alguien a quien le importas y que apoya tus deseos— de preferencia un líder o mentor. Una vez que haya sacado el temor a la luz, se va a comenzar a disipar mientras te enfocas en cómo lidiar con éste y comienzas a tomar acción.

Por ejemplo, digamos que tienes temor de conocer nuevas personas, lo que te impide conocer nuevos prospectos o socios. Tú puedes compartir tu preocupación con tu líder. Él o ella te puede guiar y recomendar libros, audios, DVDs/videos hechos por otros que han vencido ese mismo temor. Ellos te pueden dar esperanza de que puedes conquistar ese temor que ellos también han vencido y puedes seguir los ejemplos que se te han dado.

Comprométete con tu éxito

Muchos tienen temor de seguir haciendo algo porque no están totalmente comprometidos a hacer que eso se llegue a ser realidad. Por lo tanto, ellos no tienen esa fuerza para mantenerse ahí y de esa manera romper con el miedo. Es lo mismo en los negocios y todas la áreas de la vida. Ser exitoso siempre requiere ser asertivo, no agresivo ni pesado, sino más bien proactivo y con visión al futuro. Algunas personas se echan para atrás, rehusando hacerse cargo del reto.

Una y otra vez, ellos simplemente terminan viendo a otros hacer los avances necesarios para llegar al siguiente nivel o lograr otro objetivo. Parece que esos que están comprometidos a la situación actual siempre están en la audiencia de la vida en lugar de estar en el escenario con aquellos que se atreven. Ellos necesitan parase adelante con valentía y hacerse cargo de la situación. Todo lo que se necesita es dar pasos de bebé para romper la inercia y comenzar a actuar. Una vez que estás en movimientos, comienzas a tomar impulso.

Yo tengo un amigo en el negocio que ha sido honrado repetidas veces en su campo de profesión por es el productor principal del año. Yo le pregunté a él qué diferencia había entre él y las demás personas de negocios. Él me dijo: «Jack, a mí no me da miedo que me digan "no"». Él tiene confianza en lo que ofrece y de manera entusiasta lo hacer y actúa no estando sujetado al los resultados que tengan que ver con alguna persona en particular. Él es muy honesto, le cae bien a todos, y está fácilmente disponible para ayudar a aquellos a quienes sirve y tienen clientes que solamente tratan con él. Él se enfoca en su sueño de ser el productor número uno, y lo es. El fracaso quizás sea una palabra en el diccionario, pero no es una opción en la vida de él.

Dr. Karl Menninger, un siquiatra de renombre mundial, dijo: «La actitud es más importante que los hechos». Muchas veces, el éxito o el fracaso son determinados por nuestra actitud. Randy Simmonsin, en su libro *What to Do When You Don't Know What to Do.* (¿Qué hacer cuando no sabes qué hacer?), cuenta una historia interesante de Paul Harvey:

«Varios años atrás hubo una ola de secuestros de aviones en Estados Unidos, particularmente en el aeropuerto de Miami. Un avión fue secuestrado del Miami cuando iba para Nueva York. El secuestrador ordenó a piloto, "Da la vuelta al avión y dirígete a La Habana, Cuba". El piloto se dio cuenta que el hombre estaba actuando desesperadamente, así que él hizo lo que el secuestrador le pidió.

Pero sucedió algo extraño. Cuando el hombre armado trató de intimidar a los pasajeros, ellos se rieron. Él no entendía cuál era el chiste. De hecho, ellos no tenían abrochado el cinturón de seguridad y estuvieron despreocupados todo el camino hacia La Habana. Ellos se estaban riendo mientras el avión estaba aterrizado y mientras habían negociaciones tensas entre las autoridades cubanas y norteamericanas. Ellos convirtieron toda la experiencia en una fiesta.

»Solamente un hombre, además del secuestrador y del piloto no estaban riéndose a carcajadas. Él no entendía la broma. De hecho, él estaba preocupado de que el secuestrador reaccionara de forma violente a las carcajadas de los pasajeros. ¿Su nombre? Allen Funt, quien por años había sido presentador del programa televisado, *Candid Camera* (Cámara indiscreta), quien resaltaba bromas y hasta bromas pesadas.

»Cuando los demás pasajeros vieron a Allen Funt en el avión, ellos asumieron que el secuestro era una broma pesada. Ellos estaban esperando a que alguien dijera, "¡Sorpresa! Cámara indiscreta!". En realidad no era una broma pesada. Pero debido a que los pasajeros pensaban que era una broma pesada, ellos se relajaron y se la estaban pasando bien.»

Así que ahí lo tienes, la actitud es más importante que los hechos. Todos tenemos cosas de nuestro pasado. La pregunta es, vas a permitir que éstas crean una actitud negativa de desánimo. Yo nunca he conocido a una persona no-comprometida. Ya sea que una persona que está comprometida con quedarse donde está o seguir hacia delante independientemente de los retos. Yo tengo un amigo en el negocio quien decidió hacer el negocio y es el mejor hombre más exitoso en su campo en mu área. Él dijo «¡Sí! y ahora está cosechando increíbles recompensas financieras.

Dale valor a todo lo que tienes

Te voy a decir algo más de este gran hombre de negocios; él no se queda sentado escuchando toda clase de basura. Él no pierde su tiempo escuchando a la gente que sólo se queja y no toma la iniciativa. Él aplica el mismo entusiasmo a la vida de su familia que al hacer el trabajo. Él y su esposa viven la vida sin dejar de darle valor al día siguiente—sabiendo que el día de hoy nos ha sido dado para que nosotros lo disfrutemos, ocuparse en ayudar a otros, y preparase para mañana.

Aunque la historia del intimidador que mencioné al inicio del este capítulo es chistoso y a mí me encanta contarla, hay algo que podemos aprender de ésta. Quizás tengamos que enfrentar y vencer varios gigantes in nuestras vidas para poder llegar adonde queremos estar—como lo hizo David en la Biblia.

Ahí estaba, un chico de 17 años de edad, vistiéndose para enfrentar al gigante Goliat, quien era temido por la nación entera. Él comenzó a ponerse la armadura de Saúl; luego decidió no usarla después de todo. Él recogió cinco piedras pequeñas y se dirigió a encontrarse con el campeón filisteo. Él solamente necesitaba una piedra, pero según informes, Goliat tenía cuatro hermanos. Ellos se encontraron e intercambiaron palabras con ira. David hizo girar la honda con la piedra, le dio vueltas y vueltas y ¡ZAS! La piedra encontró el blanco para la cual estaba destinada y el gigante cayó, y eventualmente David se convirtió en rey.

Aquí hay un punto que realmente quiero que todos entiendan: algunos decían que el gigante que estaba intimidando a David era demasiado grande para que David lo golpeara. David le dio un vistazo a Goliat y pensó dentro de sí, «¡Éste es demasiado grande como para que yo falle!» ¡GUAU! Esa es la manera en que todos deberíamos de sentir en cuanto a nuestro sueño. Sal y toma control de tu vida—lo que sea que eso signifique para ti. No vivas con temor, y recuerda que tu sueño es demasiado grande para que falles el blanco. ¡Empieza a apuntar ahora mismo y observa esas flechas de éxito comenzar a dar en el blanco!

Yo nunca he conocido una persona no comprometida. Ya sea que esté comprometido a quedarse donde está o avanzar independientemente de los retos. La pasividad basada en indecisiones nos lleva al abandono de muchos sueños. La acción basada en imaginación positiva nos lleva a que éstos se conviertan en realidad.

Capítulo 16

Salte del Valle de la Indecisión y comienza a escalar la Montaña del Éxito

La indecisión nos mantiene en un estado constante de imaginación negativa.

Las dos hermanas, de edades 13 y 16 estaban sentadas en el mismo banco de iglesia donde se sentaban con su madre cada domingo. Sin embargo, durante este servicio de adoración en particular, la madre estaba ocupada atendiendo a los pequeños en la guardería.

Sentado frente a las dos chicas adolescentes estaba un visitante frecuente. La mujer estaba inmaculadamente vestida y era bastante agradable estar cerca de ella. Ella tenía una característica que destacaba en los particular, o más bien—su cabello acumulado hacia arriba con el estilo que una vez fue popular, estilo panal. Cuando digo que el estaba acumulado, me refiero a que estaba bien acumulado hacia arriba!

La chica de 13 años estaba obviamente masticando un pedazo grande de chicle—varios chicles a la vez—las chicas se levantaron a alabar antes del sermón. De repente, la chica más joven estornudó y el chicle, desconocido por la visitante, el chicle voló de la boca de la chica y se prendió en el panal de cabellos de la visitante.

La gente que estaba alrededor comenzó a reírse de manera disimulada y a señalar hacia ella. ¿Y ahora qué? ¿Debería la chica tocar cuidadosamente a la dama y confesar y pedir disculpas por lo que acababa de suceder? ¿O, sería mejor dejar en paz a la mujer y dejar que la estilista de la dama descubriera el objeto extraño?

Pide ayuda

Después del servicio, la chica menor se acercó al ministro con lágrimas en sus ojos porque su indecisión le estaba causando gran ansiedad. «Pastor, he hecho algo terrible y necesito su pronta ayuda para decidir rápidamente qué hacer», ella se las arregló para decir en sollozos.

Ella continuó y contó lo que había pasado, lo que explicaba la conmoción que había habido anteriormente. «No voltee a ver ahora», dijo ella, «es la dama que está allá», señalándola entre la multitud, ella nuevamente le pidió al pastor a que le ayudara a decidir qué hacer. «Ven conmigo», le dijo él. ¿«Ahora mismo?» preguntó ella. «Sí» le dijo el predicador, «ella es una visitante y se irá pronto. Debemos de actuar rápidamente.»

Enfrenta la situación—deja atrás el Valle de la Indecisión y comienza a escalar la Montaña del Éxito

Con la chica caminando tímidamente a su lado, el

Salte del Valle de la Indecisión y comienza a escalar la Montaña del Éxito

predicador se acercó a la visitante que no sospechaba nada y cuidadosamente le describió la situación. A estas alturas la chica estaba llorando tan descontroladamente que pudo haber regado las plantas del frente de la iglesia con sus lágrimas.

«Jovencita, ¿podrías caminar conmigo hacia el baño para que hable contigo en privado?», preguntó la dama. Los ojos de la adolescente se abrieron por completo, aún llenos de lágrimas, y se podía observar el puro terror en su rostro. Con increíble calma, la visitante tomó la mano de la chica y se dirigieron al baño de mujeres.

Como 10 minutos después, ambas salieron, sonriendo y riéndose entre ellas como si hubieran sido mejores amigas. El predicador apenas pudo reconocer a la dama sin su estilo de peinado panal, el cual estaba ahora metido debajo del brazo. ¡Sí, era una peluca! La verdad, como ella le dijo a la chica, que ella había perdido su cabello debido a la quimioterapia, y estaba comenzado a crecer de nuevo. Ella contó que había pasado tanto tiempo sin cabello, y por eso quería una peluca grande, para hacer que el gasto valiera la pena.

Muchas personas escogen vivir en el valle de la indecisión. Quizás ellas se pregunten una y otra vez, «¿Sería mejor lidiar con la situación honestamente ahora y terminar de una vez con todo esto, o simplemente esperar para ver que pasa, quizás simplemente desaparezca?» Están tan consternadas que simplemente se quedan estancadas.

Esta hábito de robar el éxito va más allá de cualquier

131

esfuerzo que puedan hacer, quizás tan débil como para lograr sus sueños. Pasividad basada en la indecisión conduce a la desaparición de cualquier sueño. Como ocurrió en esta historia, muchas cosas en la vida no son tan desafiantes como parecen al inicio, cuando nosotros tendemos a imaginar resultados negativos.

Destruyendo la indecisión y lidiando con la verdad de una manera apropiada puede impulsarnos al siguiente nivel del desarrollo personal—quizás esté faltando el elemento para hacer que nuestro sueño se convierta en realidad. No necesariamente tiene que ser fácil, pero dichos logros son necesarios para lograr un nuevo nivel de éxito y libertad. Sin ellos, nos quedamos enfangados donde estamos en nuestros pensamientos. Incluso quizás retrocedamos y reducirlos aun más allá dentro de los limites aceptados, de parte de nosotros y de parte de otros.

Lo real versus lo imaginado

Cuando hablamos de éxito y quienquiera que permitamos que nos ponga límites, existe lo real y lo que imaginamos: el chicle en la peluca era una situación real. Lo que la chica pensó que la dama iba a hacer fue producto de su imaginación negativa. Esto solamente reforzó una actitud de temor, estimulando su indecisión. Su mejor opción era tener fe que todo iba a salir bien—independientemente de cómo la dama optaría por responder a la honestidad de ella.

Un sueño es producto de nuestra imaginación positiva, la cual necesitamos para enfocarlos y ampliar mentalmente.

Acción basada en la imaginación positiva hace que la hagamos realidad.

Sin embargo, si estamos indecisos en cuanto a un obstáculo que necesitamos vencer, eso nos mantiene en un estado constante de imaginación negativa e infelicidad. Como lo mencioné anteriormente, el cambio puede ser un reto...pero es necesario. Esfuerzos que valen la pena contienen retos en sí mismos. Esto es normal en cualquier lugar donde se busque el cambio.

Nosotros podemos poner el pie en el freno o en el acelerador. Esto primeramente se hace mental cuando decidimos qué hacer—actuar o no actuar. Luego actuamos físicamente en la elección que hicimos moviéndonos hacia delante y presionando el acelerador.

Una persona ve una oportunidad, titubea, y presiona el freno, quedándose en la tierra de la indecisión. Otra persona ve una oportunidad, con frecuencia la misma, toma ventaja de ésta, y acelera con dirección hacia su meta.

¿Por qué?

La respuesta depende de las variables: el trasfondo de la persona, estado emocional, su ambiente, familia que lo apoya, y amigos o falta de éstos, y por último, su nivel de automotivación e iniciativa. Tú sabes al igual que yo, que a la gente le falta automotivación—ellos están enfangados en la imaginación negativa y en el Valle de la Indecisión.

Pero al mismo tiempo, a estas personas les gustaría que las cosas estuvieran mejor—ya sea financiera, espiritual, emocional o intelectualmente, o de alguna otra manera. Si tan siquiera tuviera la iniciativa, conocimiento, y apoyo para hacerlo, probablemente se motivarían ellos mismos, enfrenarían la situación, presionarían el acelerador y crearían una mejor vida.

¿Estás tú acelerando hacia tu meta?

¿Cuál de las dos cosas estás haciendo? Estás empujando el freno o estás o poniendo el pedal al metal? Para tener una imagen más clara de la analogía, la próxima vez que estés en tu automóvil, arráncalo, pon la trasmisión en D y mantén el pedal del freno presionado. ¿Qué pasa? Pues bien, estás en un automóvil que te puede llevar a cualquier lado, pero tú eliges presionar el freno y quedarte ahí.

Ahora, pon el carro en neutro y pon tu pie en el acelerador. ¿Qué pasa? El motor acelera pero tú no vas a ninguna parte. Tú tienes los medios para moverte hacia delante y tan rápido como sea necesario para llegar a tu destino, pero ni siquiera pusiste el carro en marcha. Ahora, pon la trasmisión en D, y, nuevamente pon tu pie sobre el acelerador y empuja. Tú estás congruente—tu mente, tu cuerpo y tu espíritu están trabajando juntos hacia el logro de la meta de la jornada de este día.

Ahora escucha con cuidado. Nosotros podemos, al igual que poner el freno o cambiar hacia neutro, tomar una decisión que nunca hace que nos movamos, hace que nos estanquemos. Tenemos que tener un factor de ánimo—algo o alguien que nos ayude a llegar donde nunca antes hemos llegado—estirarnos más allá de nuestra zona de comodidad.

Mi ánimo ha venido de familia y amigos que cuidadosa y amablemente me han dado un empujón para que yo haga lo que siempre he querido hacer. Mi sueño es importante para ellos porque yo soy genuinamente importante para ellos. De hecho, si mi sueño no llega a realizarse, ellos me amarán de todas maneras. ¿Cómo no va a estar uno motivado si tiene siempre las de ganar?

Cuando «ellos» no creen que tú puedes

Sí, ¿pero qué de aquellos que tienen familia o amigos que no creen que ellos pueden lograr lo que quieren? ¿Qué si quieren comenzar una profesión nueva, construir un negocio, o algo más, y espera que esos que lo aman lo van a apoyar, pero por lo contrario, ellos dicen que él va a terminar estrellándose y cansándose demasiado?

Déjame contarte una historia. Una vez, un cazador solitario de ardillas escuchó crujir algo en los arbustos de la derecha. Teniendo solamente un rifle calibre 22 de un solo tiro, él esperó para ver qué era.

Aunque él definitivamente sabía que no era una ardilla, pensó que quizás era un venado. Pero no iba a disparar con el rifle de calibre 22, porque era posible que fuera contra la ley. Su único deseo era ver si era un venado macho grande.

Teniendo verdadera motivación

El sonido se hacía más fuerte y se acercaba. Luego parecía como si el bosque entero estaba en silencio. Aproximadamente 75 yardas, un oso grizli venía corriendo a toda velocidad hacia él. Él sabía lo que no tenía que hacer, pero en su miedo, lo hizo de todos modos: él dejó caer su rifle y corrió tan rápido como pudo—alejándose del oso que estaba viniendo—dos cosas que obviamente sabemos que no debemos de hacer.

Con lo que el oso que se estaba acercando rápidamente a él, el hombre corrió hacia una colina en un prado abierto, donde solamente había un árbol creciendo torcido en el medio. Mientras se acercaba, se dio cuenta que la rama más baja del árbol estaba por lo menos a 8 pies del suelo, pero él no podía saltar tan alto.

Con lo desesperado que estaba, él tenía que hacerlo. Con el oso moviéndose hacia él, estando tan cerca que podía escuchar su respiración pesada, el hombre llegó al árbol justo antes del oso y saltó hacia la rama para salvar su vida. Pues bien, con su adrenalina hasta arriba, inicialmente saltó tan alto que no pudo agarrarla, pero afortunadamente la pudo agarrar cuando iba hacia abajo. Él se mantuvo hasta arriba para salvar su tan apreciada vida hasta que el oso finalmente se dio cuenta que este hombre no iba a ser su almuerzo. Ahora bien, amigos, esa es motivación.

Dave Thomas, fundador de Wendy's, la tercera cadena de hamburguesas más grande del mundo, comenzó a trabajar en un restaurante de barbacoa en Knoxville, Kentucky a la edad de doce años. Más tarde él conoció una de las personas que más influyó en su vida mientras ascendía a la posición de gerente en Kentucky Fried Chicken, el coronel Harland Sanders, fundador de KFC. El coronel era el líder valiente que no se quedó descansando en el Valle de la Indecisión.

En 1969, Dave abrió su primer restaurante Wendy's en Columbus, Ohio. Ahora hay más de 6,000 en Estados Unidos y Canadá, con ventas de más de 7 millones de dólares. No está mal para un hombre que abrió un restaurante con el nombre de su hija, y con decisión actuó para hacer su sueño realidad. Queriendo nunca estar en la mira, Dave, quien fue adoptado por una familia de Michigan cuando tenía seis semanas de edad, decía que él era simplemente uno que cocinaba hamburguesas. Qué ejemplo de un hombre humilde que vivía sin límites.

Si la gente te dice que es imposible para ti hace algo, quizás esa sea la única motivación que necesites para comenzar. ¡Imagínate lo divertido que será probarles que estaban equivocados! Muéstrales las alturas que puedes alcanzar estando 100 % motivado. Muévete del Valle de la Indecisión y comienza a escalar las Montaña de los Logros. Luego anima a tus compañeros de trabajo, familia, amigos, y socios a hacer lo mismo.

Esta es tu vida. Ya sea que tu realices tu sueño o lo dejes morir. Las decisiones que tomes ahora determinarán cómo vas a vivir el día de mañana. Mi falta de honestidad conmigo mismo era la llamada manta de seguridad. Yo simplemente la seguí usando por 30 años...

¿Qué tal tú? ¿Andas cargando tu manta de seguridad? ¿Cuáles son tus excusas?

Capítulo 17

¿Cuál es tu Manta de Seguridad?

¿Qué te detiene de vivir la vida que deseas?

Quizás nunca nos hemos conocido pero tenemos algunas cosas en común. ¿Te has subido en un ascensor cuando la flecha del botón está encendida y de todos modos lo vuelve a presionar? Yo también. ¿Crees que tenemos un toque mágico para el ascensor? ¿Te has metido a una habitación donde la luz está encendida y la has apagado pensando que la estabas encendiendo? ¡Guau! Yo también. Debemos de ser parientes.

Las cosas que quizás tengamos en común

Otras cosas que quizás tengamos en común son algunas de las reacciones de temor que probablemente tuvimos en nuestra juventud. ¿Revisaste debajo de la cama antes de irte a dormir o le pediste a tus padres que revisaran el armario y se aseguraran de que las ventanas estuvieran aseguradas? Y luego también ese eso que aseguramos haber visto o escuchado durante la noche.

Luego jalábamos sobre nuestra cabeza esa frazada invencible, a prueba de balas, a prueba de ataque, con la cual nos defenderíamos contra cualquier intruso. Nosotros pensábamos que si alguien estaba debajo de la cama acechándonos, esa persona nos agarraría si dejábamos nuestros brazos o piernas descubiertas. ¿Qué estábamos pensando?

Yo tenía como siente años cuando tuve mi primera experiencia aterradora. Unos amigos de mi padre estaban de visita y cuando si iba acercando la hora que tenía que irme a la cama, mi padre me pidió que me lavara los dientes y que fuera a mi cama. Yo no quería hacerlo porque el pasillo que llevaba a mi cuarto era largo y mi cuarto era bien oscuro.

Pero si embargo, yo caminé como un hombre grande y valiente hasta llegar a la mitad del pasillo, hasta que estaba totalmente fuera de la vista de los adultos. Luego corrí hacia mi cuarto. Cerré la puerta, como mi padre me había instruido, así no sería perturbado por ningún ruido de abajo.

Me quité mi ropa, me puse mis pijamas y me metí a la cama y estaba con las luces apagadas en un tiempo record. Justo después de llegar ahí, inmediatamente sentí que algo andaba mal. Tan pronto como mis ojos se adaptaron a la oscuridad, yo vi un hombre extraño en mi cuarto. Ahí estaba, silenciosamente parado con su espalda contra de la puerta del closet del pasillo.

¿Existe seguridad en una cobija?

Congelado de temor, no pude decir ni una sola palabra. Yo seguía pensando que si gritaba, él me lastimaría, y si no gritaba, él quizás lastimaría a mis padres cuando ellos vinieran a verme. Así que hice lo que la mayoría de niños de 10 años harían: yo me puse la cobija sobre mi cabeza. Le mostraría a él, que no podía hacerme nada si me mantenía debajo de las cobijas.

Respirando rápido y fuerte, pero tan silenciosamente como pude, yo seguía esperando para que él diera su gran paso. Pero mientras me asomaba de debajo de las cobijas, vi que él simplemente estaba ahí, seguía como una estatua. Yo pensé en saltar por la ventana, pero afuera estaba oscuro, además de que mi cuarto estaba dos pisos arriba del suelo. Finalmente me quedé dormido a altas hora de la mañana. Cuando salió el sol, yo también. Yo me restregué los ojos para enfocarme y él seguía ahí. Bueno, yo diría que «eso» seguía ahí, no «él».

Mi querido padre había colgado su abrigo viejo en un clavo en la parte de atrás de la puerta y puso su sombrero sobre el abrigo. Realmente parecía como un hombre parado ahí con su cabeza hacia abajo como si no hubiera querido ser identificado. No pudo resistir una sonrisa de alivio. Yo me salí de la cama y me vestí.

Cuando comencé a caminar hacia la puerta, la figura se movía hacia mí. Sobresaltado, y di un salto hacia atrás y grité. Pero, era solamente mi padre que había venido a despertarme. Él abrió la puerta rápidamente, y para un muchacho de doce años, parecía como si el monstruo había vuelto a la vida y se había puesto en una posición de ataque.

¿Qué tanta seguridad había en esa cobija? Bueno, tú, al

igual que yo, sabemos que no había protección alguna excepto lo que en la mente de un muchacho joven imaginaba. Así que, ¿qué cobija de seguridad usamos ahora? ¿Estás realmente a salvo?

Justificando lo que hacemos

Existen muchas maneras que en las que tratamos de parecer que siempre estamos en lo correcto y que estamos seguros tratando de justificar lo que hacemos o lo que no hacemos. Cuando me moví a una ciudad en particular para predicar, uno de los antiguos miembros de la congregación y su esposa me invitaron a que los visitara. Él era un gran hombre con un sentido del humor único. Ese día, antes de salir de su casa, él dijo que tenía algo que mostrarme. Me llevó a su refrigerador, lo abrió y saco una botella de vino casi llena.

«Pastor, yo sé que la iglesia frunce el ceño en cuanto a bebida, pero yo quiero ser sincero con usted e informarle que, hace tiempo atrás, yo tenía problemas del estomago. El doctor me recetó que tomara una copa de vino cada noche antes de ir a la cama para ver si eso me ayudaba».

Luego él cerró el refrigerador y me mostró una receta de color amarillento. Yo no pude evitar darme cuenta que la receta tenía fecha de 1956, y esto ocurrió en 1978. A manera de broma él dijo, «Bien, Pastor, ¿usted ve en algún lado de la receta médica donde diga "NO RELLENAR"?».

Su cobija de seguridad para justificar que tomaba vino era una receta de 22 años de antigüedad.

Fabricantes de excusas

Yo he hablado con mucha gente que usa supuestas cobijas de seguridad como una excusa para nunca comenzar a hacer algo nuevo. Ellos pones sus cobijas de seguridad sobre su cabeza como un niño asustado—pensando de que como no ven nada, todo está a salvo. Ellos justifican sus acciones haciendo excusas tales como:

1.- No tengo tiempo.

2.- No lo puedo hacer.

3.- Eso nunca va a funcionar.

4.- Ya intenté hacer eso antes.

5.- Mis amigos intentaron hacer eso y no funcionó.

Las excusas son similares en nuestra fe, negocios, o aspectos diarios en la vida. ellos simplemente se modifican para encajar con la situación. Esos que ponen y hacer excusas no están siendo honestos. ¿Por qué no van directamente y dicen claramente que no están interesados, si en realidad esa es la verdad? Di «No» firmemente y con amabilidad si no estás interesado. Simplemente sé honesto. Nosotros queremos que otros sean honestos con nosotros, en lugar de encadenarlos con excusas, ¿no es así? Dale a otros la misma cortesía.

Un reformado cargador de manta de seguridad

Quizás te preguntes porqué de repente comencé

a hablar de cobijas de seguridad. Pues bien, quizás, tú seas como yo. Yo soy un reformado en cuanto a cobija de seguridad. Yo soy uno que se ha reformado de cargar cobija de seguridad. Nadie cargaba una bolsa más grande de excusas que yo. Yo soy el hombre que escribió cuatro libros y dejó los manuscritos rodando en la oficina—temeroso de que alguien los leyera y los enviara al editorial. Yo soy el hombre que esperó hasta tener cincuenta años para ir y alcanzar el sueño que tuvo desde que tenía 20. Yo era un rey para posponer las cosas y usé cada excusa desde la caspa hasta arcos caídos porqué nunca empezaba.

Mi falta de honestidad conmigo mismo era mi llamada cobija de seguridad. Yo simplemente la seguía usando por 30 años, al igual que el hombre que usaba la receta médica por 22 años.

¿Y qué de ti? ¿Cuáles son tus excusas? Esta es tu vida, ya sea que hagas realidad tu sueño o lo dejes morir. Lo que elijas ahora va a determinar como vas a vivir el día de mañana.

Tú vas a ser miserable si en tu corazón no está el deseo de hacer lo que estás haciendo para vivir. Haz algo para crear cambio positivo y tu vida se aclarará.

Capítulo 18

¿Estás escuchando?

Yo conozco a mucha gente que trabaja en sus trabajos de tiempo completo, pero aun así, día tras día, están avanzando poco a poco hacia su libertad financiera.

Fue una de esas noches largas en el hospital, sentado al lado de la cama de un amigo de nosotros que se encontraba en condición seria. Yo solamente había estado ahí pocas horas, mientras que su familia había estado ahí por días.

La esposa de nuestro amigo me pidió que si podía salir al pasillo para poder hablar conmigo a solas. Nosotros estaba hablando acerca de la situación de su esposo y del diagnóstico que había dado el doctor, cuando de repente, una señora de avanzada edad del otro lado del pasillo comenzó a pedir ayuda en voz alta.

Más tarde nos dijeron que esto sucedía todas las noches. Pero esta noche en particular las enfermeras no llegaron a tiempo a su cuarto como usualmente lo hacían. Así que ambos nos aventuramos a ir al cuarto de la señora para ver en qué podíamos ayudar. Tan pronto como llegamos, también llegaron las enfermeras y el doctor. Por respeto, nosotros nos retiramos y salimos de nuevo al pasillo, pero no podíamos evitar escuchar lo que estaba sucediendo adentro.

¿Así que, cómo está TU audición?

«¿Cómo estás?», preguntó el doctor. ¿«Qué»? dijo la señora, obviamente tenía problemas de audición. El doctor repitió lo que había dicho anteriormente, pero con voz más alta, y ella contestó, «Estoy bien, hoy es mi cumpleaños». «Ha» dijo el doctor. «¿Eres Sagitario?» gritó el doctor. Ella respondió nuevamente «¿Qué?» Hablando más alto y acercándose más a ella dijo él, «¿Eres Sagitario?». «No», dijo ella, «soy metodista».

Aunque quizás la historia no parezca relevante al éxito, hay algo en ella que es paralelo a muchas cosas en la vida. Es similar a cuando alguien tiene el conocimiento para ayudar a curar nuestros males e invierte el tiempo para hablar con nosotros francamente, ya sea que nosotros elijamos no escuchar o no entendimos la perspectiva de la persona.

También hay una diferencia obvia en la historia. Esa dulce mujer de edad avanzada en el hospital, tenía diferentes enfermedades físicas. Una de esas era aparentemente una discapacidad auditiva. La gente que aparentemente tiene un problema auditivo a la que me estoy refiriendo, no tiene dichas enfermedades. Ellos simplemente, como lo dice el refrán, «Escuchan con un oído y se les sale por el otro».

Por ejemplo, a algunas no se les puede decir una y otra vez

cómo pueden alcanzar libertad financiera y ellos eligen no escuchar. Estas personas son las mismas personas que se quejan más fuerte porque no consiguen ni un descanso en la vida. Así que, ¿cómo está TU audición?

Oportunidades perdidas

A la edad de 12 años, yo había coleccionado más de 5,000 tarjetas de beisbol. Ese año yo tenía por lo menos una tarjeta por cada jugador de las Ligas Nacionales Americanas. Mi colección también incluía varias tarjetas de Babe Ruth, Mickey Mantle y Willies May, etc. Otros chicos me envidiaban por mi enorme colección. Luego llegó ese día fatídico cuando nos teníamos que mover a otro estado, y mi madre me dijo que ella no iba a trasportan un montón de tarjetas sin valor. Yo le dije que mi entrenador de la Little League me había dicho que esas tarjetas quizás tendrían un gran valor algún día, y ella dijo simplemente que el hombre estaba perdiendo el sentido. Así que terminé regalando todas las 5,000 tarjetas entre mis más cercanos amigos.

No hay manera de saber cuánto sería el valor de las tarjetas hoy en día, pero probablemente valdrían una pequeña fortuna. Incluso un día yo comencé a ver una vez cuánto sería el valor en el mercado de hoy, casi me da un infarto, y mejor paré de hacerlo. Puedo escuchar que dices, «Bien, todos cometemos errores como esos». Eso quizás sea cierto, pero ese fue simplemente uno de los muchos errores para mí.

Yo soy el tipo que compró varias acciones de Wal-Mart cuando llegaron a estar disponibles al inicio, y las vendí seis meses después, ganando unos pocos cientos de dólares. Desafortunadamente, después de que me deshice de ellas, se dividió varias veces, y su valor de disparó hasta el cielo. Si hubiera escuchado a mi corredor de bolsa cuando me dijo que me quedara con ellas, hoy tendría más de $500.000 solamente en esas acciones.

Aprende a escuchar el buen consejo

Mark Twain dijo: «Cuando yo tenía 14 años pensaba que mis padres eran las personas mas tontas que yo había conocido. Cuando tenía 21, yo estaba muy sorprendido de ver cuanto habían aprendido en solamente 7 años.» Esto era sin duda, su manera de decir que le hubiera gustado escuchar el consejo de ellos con más frecuencia.

Nosotros tenemos dos oídos y una boca. Tal vez debemos pasar escuchando dos veces más del tiempo que pasamos hablando. Esto se remonta a la sabiduría de buscar el consejo de aquellos que ya han estado donde nosotros queremos estar. Simplemente escuchar pasivamente a lo que ellos tienen que decir no es suficiente; hacer caso a lo que ellos dicen es la clave. Nosotros necesitamos escuchar para entender y hacer las aplicaciones necesarias de lo que hemos aprendido, para que nuestra vida esté en la misma pista que conduce al logro de nuestros sueños.

Tal vez suene que estoy queriendo dar a entender que siempre es fácil hacer lo correcto para hacer nuestro sueño realidad. Bien, las actividades que cambian nuestra manera de vivir no siempre son fácil. ¿Qué de esa primera cita? ¿No se puede decir por lo menos que fue algo que cambió nuestra vida y algo incómodo? El primer beso también fue extraño, ¿no es así? Todos eran potencialmente valiosos, pero no necesariamente fáciles.

¿Estás escuchando?

Vas a ser miserable si en tu corazón ya no está el deseo de seguir haciendo lo que estás haciendo para vivir. No es divertido simplemente vivir solamente haciendo lo debido. Haz algo para crear un cambio positivo y tu vida se va a iluminar.

Tomando decisiones difíciles

Aquí está la belleza de correr tras nuestro objetivo: Tú no tienes que hacerlo todo a la misma vez. Tú conoces muchas personas que trabajan tiempo completo, pero aun así día tras día ellos están trabajando para alcanzar libertad financiera. Una vez más, déjame reiterar que ellos suenan como personas buenas que tienen un estándar e integridad muy alto para vivir.

¿Por qué es tan importante? Porque tenemos la tendencia de imitar a esos que están más cerca de nosotros.

¿Estás escuchando?

Se dice que el prominente hombre de negocios, Ross Perot, fue tan lejos con esta idea al punto que él no contrataba a nadie que hubiera engañado a su esposa. Cuando le preguntaron acerca de esto él dijo: «Si su esposa no confía en él, ¿por qué debería de hacerlo yo?» Ross Perot no se convirtió en millonario sin tener integridad, y tú tampoco no vas a cumplir tus aspiraciones sin integridad.

¿Estás todavía escuchando?

¿Estás escuchando?

Las mujeres y hombres más poderosos en la historia han tenido estos dos hábitos en común: ellos observaban lo que estaban haciendo, siempre conscientes a dónde estaban yendo, para asegurarse de que sus acciones de día a día apoyaban su destino.

Capítulo 19

¡Otros te están observando!

Si tus seres queridos y socios o compañeros de trabajo duplican tu ética de trabajo, valores morales, integridad, y tu manera de alcanzar tus metas, ¿los considerarías exitosos?

Yo era un típico muchacho de 18 años. Un día mamá, que Dios la bendiga, me pidió que limpiara las hojas caídas en el jardín de atrás con rastrillo. Yo le pregunté porqué me hermano no lo hacía. Ella dijo que porque ella me había pedido a mí que lo hiciera. Entonces le pregunté que porqué no obligaba a mi hermano a que me ayudara, a lo que ella respondió con firmeza, «Yo lo iba a hacer hasta que comenzaste a hacerte el listo con tu madre». Yo supe entonces que debería de ir al jardín de atrás, y mejor que lo hacía pronto.

Tome el radio de transistor de mi cuarto, y me aventuré a esa parte del patio que nunca me había parecido tan grande como ese día. Yo recuerdo que puse el radio en el borde exterior de la ventana, y aumenté el volumen para poder escuchar las canciones desde cualquier parte del patio de atrás. Y luego irrumpió el ridículo. Mi actitud era que si tenía que hacer esta tarea monumental, pues debería de hacer que fuera lo más divertido posible. Yo estaba saltando y dando vueltas por todo el patio como un estudiante emocionado en su primer baile sock-hop. Luego una de esas canciones comenzó a sonar en la radio. ¿Tú sabes a que clase de canciones me refiero? Una de esas canciones que, si no tienes cuidado, te hace manejar más rápido. Esa que te hace zapatear. Hace que aceleres y te hace cometer hasta tonterías.

Alguien está mirando cada uno de nuestros movimientos

Yo dejé de recoger las hojas y eché mi mano izquierda al aire, deteniendo el palo del rastrillo como si hubiera sido micrófono. Yo comencé a cantar con todas mis fuerzas, junto con la radio. ¡Yo me sentía el mejor! Yo incluso podía soltar el palo del rastrillo, dar la vuelta, agarrándolo de nuevo sin dejarlo caer al suelo.

Yo hice esto casi toda la canción. ¿Por qué paré de hacerlo? Era mi mamá. Yo vi hacia arriba y ahí estaba ella riéndose a carcajadas tanto que tuvo que limpiarse las lágrimas de sus ojos. Este fue el día que aprendí que alguien está viendo cada uno de tus movimientos, ya sea que lo sepamos o no.

Todos tenemos influencia

Ninguno de nosotros vivimos en esta tierra sin influenciar a otros. Tenemos que determinar qué clase de influencia queremos dejar, y lo que estamos dejando atrás para que crezca para aquellos que amamos. Yo no estoy hablando solamente de dinero y cosas materiales, sin ética en el trabajo—extendiendo tu objetivo, atrever a soñar, y la fuerza interna para alcanzarlo—para ser ejemplo para nuestros hijos y otros que puedan seguir.

Pregúntate a ti mismo lo siguiente, y voy a admitirlo, para algunos quizás sea un pregunta muy difícil de contestar: si tus seres queridos y socios o compañeros de trabajo duplican tu ética de trabajo, tus valores morales, tu integridad, y tu deseo de alcanzar un objetivo, ¿los considerarías personas exitosas? Otros te están observando y aprendiendo de lo que haces. Eso es lo que estás haciendo, dejando un impacto positivo o negativo—especialmente en esos a quienes amas, socios y los que trabajan contigo.

¿Y qué si hacemos lo que nos gusta hacer?

Somos más exitosos y felices cuando hacemos lo que nos gusta hacer—lo mejor que podemos—y que sea un puente financiero para que nos libere de hacer lo que no estamos disfrutando. Por supuesto, eso es contingente en lo que hacemos y que sea moralmente correcto y que no sea perjudicial para nosotros mismos o para otros.

Con frecuencia aceptamos límites que de una manera u otra son sofocantes. Si estamos poniendo todos nuestros esfuerzos únicamente para pagar nuestras facturas, ¿qué clase de vida es esa? No sería mejor vivir sin límites y así poder satisfacer lo que anhelamos ser, hacer y a la larga tener lo que realmente queremos.

Otros te están observando. Así que también tienes que observarte a ti mismo. Cada mañana, cuando te veas al espejo, ¿qué tanto te gusta la persona que te está mirando? Tú te estás mirando a ti mismo, ¿o no? Nadie más que tú en esta tierra está más familiarizado con tus alrededores, tus objetivos, y donde quieres estar. De ti depende vivir, soñar, alcanzar, estirarte, y asegurarte de no decepcionarte a ti mismo.

¿A dónde estamos yendo?

Si eres padre, entonces probablemente no tengo que decirte nada acerca de la responsabilidad que tienes con tus hijos. La mayoría de los padres toman muy en serio esa responsabilidad, y todos tenemos que hacerlo también de la misma manera llegar a ser los mejor que podemos llegar a ser. Esto además quiere decir que hacer un inventario de nuestras intenciones y hechos. ¿Qué nos hizo que llegáramos a estar donde estamos en esta etapa de nuestra vida? ¿Cómo podemos hacer los cambios necesarios para establecer la vida que nos hemos estado diciendo que queremos?

Mamá ya no está con nosotros para cuidarnos a mi hermano y a mí. Pero mientras crecíamos, ella nos enseñó que no debíamos de hacer algo simplemente porque alguien más quería que lo hiciéramos.

Esto puede ser, por supuesto, diferente en cada situación. Quizás nosotros tengamos que hacer cosas que no queremos hacer, siempre y cuando sigamos manteniendo nuestra integridad, y hemos acordado, por lo menos temporalmente, aceptar las compensación de nuestro empleado.

Ella dijo, en general, si estábamos de acuerdo en hacer algo, que sea algo que realmente queramos hacer y que deseemos profundamente, de lo contrario la pasión por eso, se va a disipar rápidamente. Al cuidarme, mi madre me enseñó que siempre me cuidara y que cuidara lo que hago y lo que digo.

Las mujeres y los hombres más exitosos de hoy en día tienen estos dos hábitos: ellos cuidan lo que están haciendo, y siempre están conscientes de hacia dónde se dirigen. Ellos hacen correcciones en el transcurso, cuando lo necesitan, para asegurarse que sus acciones de día a día respaldan el destino previsto.

Considera alcanzar cierto nivel en tu negocio como una experiencia de llegar a la cima. Así de impresionante y hermosa es la vista, hubo un momento en que no fue más que un sueño. Qué bella e impresionante la vida que tienes por delante—una vida de libertad de límites puestos por otros.

Capítulo 20

Mentalidad como cinta de correr

El mundo dice que vayamos más rápido, y siempre y cuando las personas estén en las cintas de corres, quizás les hayan hecho creer que no tienen otra opción.

Yo tengo un hermano, de quien hablé anteriormente. Yo mido seis pies una pulgada, él mide cinco pies con seis pulgadas, lo cual va te va a ayudar a entender lo que estoy a punto de decirte. Una vez cuando él nos visitó en nuestras casa y yo estaba haciendo ejercicio en la cinta de correr, él pidió que si podía usar la máquina cuando yo terminara. Como soy un hombre muy amable, yo le dije, «claro que sí».

A inicio él caminó bastante lento, después corrió por diez minutos. Luego, en lugar de simplemente presionar el botón de «stop», a él se le ocurrió la no-muy-brillante idea de simplemente sostenerse de los lados y bajarse por la parte posterior de la máquina. Lo que ocurrió luego sucedió tan rápido, que aunque yo estaba parado junto a la máquina, no podía evitarlo.

Bajando de la cinta de correr

Cuando sus diminutivos pies se hicieron para atrás y

alcanzaron el punto de no retorno, él me vio directamente y gritó, «¡Oh no!» Luego sus pies se movieron tan rápido como nunca antes había visto. Como un hámster corriendo en la rueda de su jaula, él se mantuvo parado por un poco más de tiempo, y luego pasó lo inevitable... se cayó, ¡pero así! Yo apagué la cinta de correr rápidamente, pero no antes de que hiciera un poco de daño.

Sintiéndose estúpido, y con sus rodillas despellejadas, él aprendió algo que me sorprendió que no lo supiera. «¡Que nunca se debe bajar de una cinta de correr cuando ésta aún está encendida!»

Para muchos, la vida es como una rutina de ejercicio en una cinta de correr a toda velocidad que nunca termina. Ellos despiertan, se levantas de mala gana cada mañana, cinco o seis días a la semana, y ven el reloj que se mueve tan lentamente hasta llegar la hora de salida.

Ellos se están ejercitando lo suficiente, claro, pero realmente no están yendo a ningún lugar. La «seguridad» es nunca soltarse de esas barandas de los lados. Sujetándose hasta que sus nudillos de las manos están blancos en su rutina diaria que a menudo es monótona. Ellos siguen avanzando hasta que alguien presiona el botón de «stop». El mundo dice que vayamos más rápido, y siempre y cuando las personas sigan en la cinta de correr, ellos quizás hayan sido llevados a creer que no tienen otra opción. Ojalá ellos vean a alguien que se bajó de ésta por medio de construir un negocio y aseguró su situación financiera. Quizás ellos lleguen a entender que ellos también pueden hacerlo.

Las barandas de los laterales que pueden atraparte

Las «barandas de los laterales» te ofrecen muchos supuestos beneficios, tales como: un seguro médico, un plan de jubilación y tal vez aumentos ocasionales. Hey, no hay nada de malo en eso, si eso es lo que realmente quieres.

Pero todas las cintas de correr tienen límites programados. La única persona que vive una vida rica y con potencial es aquel que es dueño de la cinta de correr, pero algunos de estos dueños son básicamente propiedad de sus propios negocios. Ellos tienen muchos empleados y gastos en general, y no están en una situación diferente en el departamento de la felicidad, aunque sus supuestos beneficios parezcan ser mejores.

Así que, ¿estás listo para trabajar seriamente y presionar el botón de la cinta de correr para que se detenga y puedas bajarte para perseguir tu libertad financiera? Recuerda las enseñanzas de la Biblia, «tú cosechas lo que siembras». Esto tiene un lado positivo y un lado negativo. El lado positivo es que cuando sembramos correctamente, tenemos una cosecha 10- 20- ó 100 veces más. El lado negativo se puede explicar mejor en el ejemplo siguiente.

Había un agricultor que logró una cosecha de las mejores sandías y de los que más precio habían ganado en el área. Una tarde, un vecino joven caminaba por el camino cerca del terreno y vio la parte superior de la sandía más grande que haya visto, que crecía exactamente en medio del huerto del agricultor. El muchacho esperó con paciencia que llegara la oscuridad. Caminando sigilosamente sin hacer ningún ruido, llegó finalmente al lugar de la enorme sandía. Con cuidado quebró el tallo y levantó la enorme sandía para llevárselo a casa.

Pagando el precio

Justamente cuando el muchacho tenía la sandía en sus brazos, el dueño del sembradío apareció detrás de él. Lo alcanzo y lo jaló del cuello. El muchacho dejó caer la sandía sobre sus propios pies descalzos y se podía escuchar el grito por el dolor hasta el otro lado del condado. El agricultor jaló al muchacho bruscamente cruzando el terreno hasta llegar al carro y lo condujo 10 miles al centro de policía que estaba en el centro de la ciudad.

Después de un par de días, con sus disgustados padres detrás de él, el muchacho estaba parado con el pie vendado y apoyado en las muletas, frente al juez quien le preguntó cómo se declaraba. «Culpable», dijo el muchacho. «Bien, entonces la multa es de $15, hijo», dijo el juez con una libra de su martillo. «¿Qué?, ¿dijo usted $15? yo no tengo los $15», protestó el muchacho. El juez repitió nuevamente la multa. De mala gana, el muchacho metió la mano a su bolsillo y pagó la multa. Era todo el dinero que había ahorrado trabajando en los campos de heno ese verano.

Nuevamente, tú cosechas lo que siembras

Con una actitud vengativa, el muchacho que había tratado de robar la sandía fue y juntó toda la semilla de «grama Johnson» que pudo encontrar. Esta grama le da a los agricultores considerables problemas en los cultivos. Y nuevamente, cuando ya estaba oscura la noche, el muchacho fue a los campos de cultivos de sandía del dueño y sembró toda la semilla de grama que pudo. Por el resto de sus días, el granjero tuvo que pelear contra la invasiva grama. Pero ese no es el final de la historia.

Sucede que el agricultor tenía una hija hermosa. Ella y el joven iniciaron una relación y eventualmente terminaron casándose. Cuando el agricultor murió, la hija heredó la granja, y por el resto de su vida, el una vez joven tuvo que batallar con la «grama Johnson» que él había plantado años antes. Lo que sembramos es lo que cosechamos.

Si estamos sembrando con una mentalidad de cinta

de correr, entonces así de lejos llegaremos en la vida en cuanto a estar satisfechos con el trabajo y nuestra situación financiera. Si estamos sembrando pensando que vamos a presionar el botón «stop» cuando hayamos logrado cierto nivel de ingresos, entonces, ¿cuánto más tendremos que sembrar?

Establecer una fundación financiera firme para después poder hacer una transición hacia una libertad financiera completa es algo que se hace al avanzar el tiempo. Renunciar en estos momentos del trabajo que tienes ahora—la manera que sostenemos a nuestra familia y pagamos facturas—no es un paso sabio. Nosotros tenemos que ser pacientes al mismo tiempo que perseguimos y gradualmente creamos una mejor vida. Como dicen los mentores de negocios sabios, «No renuncies a tu trabajo que tienes durante el día».

Quizás ingreso suplementario de tu propio negocio sea exactamente lo que necesitas para cerrar la brecha que hay entre la cinta de correr y la libertad financiera que añoras. Construir un futuro donde inviertes de manera consistente una pocas horas adicionales a la semana fuera de tu trabajo pueden hacer la diferencia en tus finanzas—así como también ayudarte a que te conviertas en la persona que estás destinado a ser. Es la cantidad de tiempo donde eres tu propio jefe y estás a cargo. ¡Qué sentimiento de libertad!

La experiencia de estar en la cima de la montaña

Proponte a llegar a cierto nivel en tu negocio como una experiencia para llegar a la cima de la montaña. Así como es de hermoso e impresionante, hubo un tiempo en que era solamente un sueño. Tú vas crecer dando un paso a la vez y una victoria a la vez. Luego el progreso va a agarrar velocidad a medida que trabajes con tu líder mentor y la ayuda de otras personas que están duplicando tus esfuerzos comprometidos. Qué vida tan hermosa e impresionante está por delante de ti—una vida de libertad sin límites impuestos por otras personas.

Tus intenciones sinceras, basadas en tu sueños, representan una visión de tu mejor vida. Quita las cadenas de tus límites, y vas a descubrir que fuiste creado para sobresalir.

Capítulo 21

El poder de la intención

Nada es más importante para tu futuro éxito que creer en éste y hacer que tus intenciones son tu nueva realidad.

Imagínate a un hombre que sufre de agorafobia—el temor irracional de estar en espacios públicos abiertos. Después de años de visitas especiales al hogar, sesiones de consejería por el mejor siquiatra y miles de dólares gastados, él está listo para salir al mundo por primera vez en más de una década.

Su intención es ir al centro comercial y sentarse ahí por uno pocos minutos. Él logra llegar a la puerta, bajar la escaleras de la entrada de la casa. Hasta el momento las cosas van bien. Tomando un par de respiros extremadamente necesarios, él se aventura a salir a la calle.

Es solamente un viaje de cuatro cuadras, y él ya ha caminado dos. A medio camino de la tercera cuadra, él se encuentra con un hombre con un perro grande. Le entra en pánico porque, en su terapia, él ha sido entrenado para estar con personas, no con animales. Afortunadamente, el hombre y el perro pasan sin ningún incidente. Aún recuperándose de la inesperada aparición del perro, él se para en un lugar, congelado por el miedo momentáneo por mirar pasar a una mujer que está cargando un gato.

El hombre se da la vuelta y regresa a casa lo más rápido que puede. Irrumpiendo en la puerta de enfrente, el hombre grita, «¡Estoy a salvo y nunca más voy a salir de esta casa otra vez!» Él se va para el comedor y pide el tan necesitado apoyo de su siquiatra, quien está trabajando tranquilamente en su computadora portátil. ¡Para la gran sorpresa del hombre, una serpiente está acurrucada en el regazo del siquiatra!

La moraleja de esta historia es que el dinero que hemos invertido para llevar a cabo nuestras intenciones, no necesariamente nos conducen al éxito, si no hemos hecho lo correcto, y por lo tanto, no están adecuadamente preparadas. Primero que nada, esto quiere decir que nosotros decimos «Sí» a nuestro sueño. Luego comenzamos a movernos para llevar a cabo nuestras intenciones con todo nuestro corazón, nuestra mente, nuestro cuerpo y nuestra fuerza, haciendo todo lo que sea necesario y pidiendo ayuda cuando se necesita. La preparación incluye, entre otras cosas, participar en nuestra educación continua. Tener temor y no hacer la cosa es engañarnos a nosotros mismos y comprometer el buen término de nuestras intenciones.

¿Cuáles son tus intenciones?

Enfrentemos lo que quizás sea la pregunta más importante de todas: Ya que has decidido vivir una vida sin límites, ¿Cuáles son tus intenciones para el futuro? Habla de esto con frecuencia con las personas que te han guiado y apoyado; escríbelas y vívelas. Tus buenas intenciones, basadas en tus sueños, representan una visión de tu mejor vida.

Prestando otra cita bastante conocida, «El camino hacia el fracaso está pavimentado de buenas intenciones». Lo que le hace falta a la mayoría de las personas es que ellas hablan demasiado de lo que desean que suceda, pero no lo llevan al siguiente nivel siguiendo adelante con acción. Los deseos no son intenciones. Lo que nosotros intentamos debe ser seguido por la acción, o la intención nunca nos va a llevar a la realidad.

¿Y qué de la palabra «tratar»?

Yo he predicado lo suficiente acerca de la palabra pequeña «tratar». Si alguien me dice que él o ella va a tratar de asistir a la clase o tratar de venir para consejería, yo sé que esa persona tiene un corazón con media-intención, a lo mejor, y no lo va a hacer. ¿Alguien te ha dicho que va a tratar de venir a la reunión o asistir a la fiesta? Nunca llegó, ¿verdad que sí?

Yo traté de hacer dieta, ¿y qué crees? yo sigo con la necesidad de perder peso. Mi intención no ha sido lo suficientemente fuerte, aunque parecía que estaba motivado. Nadie fijaba mis límites diciéndome que mi esfuerzo era inútil. Yo me encontré a mí mismo sucumbiendo a la idea de que mi reemplazo de comida líquida sabía delicioso con unas cucharadas de helado. Desde entonces me he enfocado en este reto y honestamente puedo decir que yo estoy viviendo los principios de éxito que predico.

Mejoramiento de intenciones y estilo de vida

Quita las cadenas de tus límites, y vas a descubrir que fuiste creado para ser excepcional. Paso a paso, crea una vida más sana, más feliz y más próspera que te ayude a cumplir tus intenciones. Todo se entrelaza, cada elemento afectando a los otros.

Logra y mantén una salud óptima para sentirte mejor y tener energía para mejorar tu estilo de vida y cumplir tus sueños. Esto requiere que prioricemos, justo como ocurre en el planeamiento y logro de nuestro nuevos retos. Todo lo que vale la pena requiere esfuerzo. Entre más vale la pena, más fuerte las intenciones y la necesidad de esforzarse.

¡Las intenciones fuertes te animan a la acción!

Declara tus intenciones. Toma un pedazo de papel y escríbelas. Deletréalas, luego lee la lista en voz alta y escucha cómo suena y se siente. Sé valiente y no tengas miedo. Declara cómo quieres que sea tu vida. Nosotros no fuimos creados con un espíritu de temor, sino de poder y amor. ¡Con valor declara lo que realmente quieres!

Existe un poder maravillosos en seguir adelante con tus intenciones. Viniendo de la profundidad de tu alma, sintiendo el éxito y la paz que te da son incomparables. Creada para tu propia y preciosa vida, tus seres queridos y tu legado. Este es el poder que la mayoría de las personas, a cierto nivel, quieren más en su vida.

Conscientemente muévete hacia delante todos los días para lograr tus intenciones—enfócate en hacer lo que tienes que hacer para que suceda lo que quieres que suceda. Es fácil soñar acerca de tus intenciones y hablar de ellas. Pero la historia es diferente cuando se trata de implementarlas. Es aquí donde la gente que gana persiste y continúa actuando—incluso si no sienten ganas de hacerlo. Logra tus intenciones haciendo de lo que has declarado que quieres crear en tu vida— independientemente de los obstáculos y las posibilidades.

Tú no vas a encontrar intenciones embotelladas en la tienda. Tú no puedes ordenarlas en la farmacia. La única manera en que puedes lograrlas es vivir cada día apasionada y decididamente enfocado para lo cual te estás esforzando. Tenazmente atraviesas el proceso de seguimiento a tus intenciones, pidiendo ayuda cuando la necesitas de aquellos que han marcado el camino antes que tú. No existe otra manera de hacerlo.

Quita todo lo que te detiene y ve tras lo que quieres. ¿Qué quieres lograr con la única vida que tienes? Si tienes la intención ser el mejor en algo, como construir tu propio negocio, no dejes que otros te saquen poniendo límites para ti. Haz que tu intento de mantenerte en la cinta de carrera junto con ellos sea en vano.

Una cosa es segura: todos tenemos un futuro independientemente del tiempo que vivamos. ¿Cuáles son tus intenciones ahora que no tienes límites? Nada es más importante que tu futuro éxito que vivirlo y hacer tu intenciones tu nueva realidad. Después de todo, tú solamente tienes una vida para vivir.

Desde mi perspectiva como predicador, yo digo: lo que somos es un regalo de Dios. En lo que nos convertimos es nuestro regalo para Él y para los suyos. ¿En qué clase de regalo te vas a convertir cuando comiences a vivir una vida sin límites?

«Nosotros comenzamos a actuar de manera diferente cuando reconocemos la inmensidad de nuestras posibilidades. Toda nuestra vida cambia, como la vida del agricultor que descubre petróleo en lo que anteriormente se ha creído que es una simple y pobre granja.»

Fulton Sheen

Made in United States
North Haven, CT
28 December 2022